Deutsch als Fremdsprache II

—

Strukturübungen und Tests

von Hans-Werner Blaasch

Ernst Klett Stuttgart

1. Auflage.   1⁷ 6 5 4 3 | 1977 76 75 74 73
Alle Drucke dieser Auflage können im Unterricht nebeneinander benutzt werden. Die letzte Zahl
bezeichnet das Jahr dieses Druckes.
© Ernst Klett Verlag, Stuttgart 1970. Die Vervielfältigung und die Übertragung einzelner Textab-
schnitte, Zeichnungen oder Bilder, auch für Zwecke der Unterrichtsgestaltung, gestattet das Ur-
heberrecht nur, wenn sie mit dem Verlag vorher vereinbart worden sind. Im Einzelfall muß über
die Zahlung einer Gebühr für die Nutzung fremden geistigen Eigentums entschieden werden. Das
gilt für die Vervielfältigung durch alle Verfahren einschließlich Speicherung und für jede Übertragung auf Papier, Transparente, Filme, Bänder, Platten und andere Medien.
Filmsatz und Druck: Ernst Klett, 7 Stuttgart, Rotebühlstraße 77. Printed in Germany.
ISBN 3-12-554250-2

Dieses Übungsbuch zu *Deutsch als Fremdsprache II* von Braun/Nieder/Schmöe (Klettbuch 5542) gibt die Möglichkeit, die neu gelernten Strukturen einer Lektion zu wiederholen und zu festigen. Die Aufgaben und ihre Lösungen sind so angeordnet, daß der Lernende seine Antworten schnell und leicht auf ihre Richtigkeit überprüfen kann. Diese sofortige Erfolgskontrolle ist nach den Erkenntnissen der Lernpsychologie ein wesentlicher Faktor bei der Wirksamkeit von Übungen. Das Übungsbuch kann insbesondere für häusliche Aufgaben und für den Selbstunterricht verwendet werden.

Hinweise für den Gebrauch

1. Das Wichtigste für den Gebrauch ist die Kontrollmaske am Ende des Buches. Legen Sie zuerst das offene Feld der Maske auf Aufgabe 1. Ergänzen Sie mündlich oder schriftlich die fehlenden Wörter. Die Zahl der zu ergänzenden Wörter entspricht jeweils der Anzahl der Striche.

2. Schieben Sie dann die Maske so weit nach unten, bis — gleichzeitig mit der nächsten Aufgabe — die Lösung zu Aufgabe 1 im linken Teil des roten Streifens sichtbar wird. Vergleichen Sie sie mit Ihrer eigenen Antwort. Ist diese nicht richtig, so machen Sie im runden Loch ein Kreuz.

3. Nach dieser Kontrolle gehen Sie an die nächste Aufgabe.

4. Haben Sie eine Seite durchgearbeitet, so zeigen Ihnen die Kreuze, welche Strukturen Sie noch nicht genügend beherrschen: links außen befindet sich jeweils ein Buchstabe, der Ihnen die Strukturgruppe angibt.

5. Diese Strukturgruppe finden Sie auf der folgenden Seite. Sie haben dort Gelegenheit, die fehlerhaft gebildeten Strukturen gruppenweise zu üben. Vergleichen Sie dazu auch die Paragraphen der Lehrbuchgrammatik, die oben auf der Seite angegeben sind.

6. Bei den Tests am Ende des Buches geschieht die Leistungskontrolle durch den Lehrer. Die Seiten sind für Klassenarbeiten leicht herauszutrennen. Der Lehrer wird Ihnen zugleich mit Ihren Fehlern eine Zahl ankreuzen. Sie zeigt die Seite des Übungsbuches, auf der Sie die entsprechenden Strukturen und die zugehörigen grammatischen Paragraphen finden. Damit können Sie die für die Aufgabe verlangten Strukturen wiederholen und festigen, ehe Sie die Aufgabe selbst noch einmal lösen.

1. Er mußte sofort .... Krankenhaus gebracht werden.

2. Urlaub .... Bergen ist einfach wunderbar!

3. Heute habe ich viel zu tun und komme erst sehr spät
.... Büro.

4. Er setzte sich .... Auto und fuhr los.

5. Kleider bekommen Sie .... 1. Stock.

6. Morgen muß ich schon um sechs .... Fabrik.

7. Woher wissen Sie das? —
Ich weiß es .... Zeitung.

8. Geht Ihr Junge schon .... Schule?

9. Wir sind gestern .... Wald spazierengegangen.

10. Holen Sie bitte die Sachen .... Wagen!

11. Gehen Sie dort .... Laden, da finden Sie,
was Sie suchen!

12. Ich habe es .... „Abendzeitung" gelesen.

2—55425/1

A

§ 1

Gehen wir morgen .... Kaufhaus?

Ich fahre Sonntag .... Berge.

Ich glaube, wir müssen jetzt zurück .... Hotel.

Stecken Sie den Paß lieber .... Tasche!

Sonntag gehen wir .... Wald.

B

Wir wollten .... einer ruhigen Gegend Urlaub machen.

.... Zimmer war es viel wärmer.

Die Arbeiter .... Fabriken werden jetzt besser bezahlt.

.... Hamburger Hafen liegen immer viele Schiffe.

C

Wann kommen Sie .... Kino zurück?

Kommen Sie, ich begleite Sie .... Fabrik hinaus!

Geben Sie mir bitte die Sachen .... Koffer!

2

1

§ 1

A

1. Hoch oben .... Gebirge finden Sie natürlich auch im Sommer noch Schnee.

B

2. Ich sitze den ganzen Tag .... Schreibtisch.

C

3. Ich möchte gern .... einer ruhigen Insel Urlaub machen.

B

4. Sonntag waren wir .... Ostsee.

A

5. Ich wohne .... Gartenstraße.

C

6. Schon jetzt leben .... Erde ungefähr drei Milliarden Menschen.

A

7. Waren Sie schon mal .... Alpen?

C

8. Ich ging .... Bahnsteig und wartete auf den Zug.

B

9. Wir fahren im Urlaub .... Nordsee.

C

10. Als ich nach Haus kam, stand das Essen schon .... Tisch.

B

11. Der Kölner Dom liegt direkt .... Rhein.

A

12. Die Elbe mündet bei Hamburg .... Nordsee.

3

1

§ 1

A

Da unten _____ Tal liegt das Städtchen.

Die größten Geschäfte finden Sie _____ _____ Stadtmitte.

Im Urlaub fahre ich am liebsten _____ _____ Berge.

Würzburg liegt ungefähr _____ _____ Mitte zwischen Nürnberg und Frankfurt.

B

Ich warte also _____ Eingang auf Sie.

Sie haben ein schönes Ferienhaus _____ _____ Nordsee.

Der Mond steht schon _____ Himmel.

_____ _____ Küste wird es im Winter nie so kalt.

C

Woher wollen Sie wissen, was der Mann _____ _____ Straße denkt?

_____ _____ Rhein fahren viele Schiffe.

Wenn Sie länger bleiben wollen, fahren Sie den Wagen am besten dort _____ _____ Parkplatz.

Oben _____ _____ Berg steht ein modernes Hotel.

4

A	1. Warten Sie bitte einen Moment, ich bin _____ wenigen Minuten wieder da.
B	2. Wann sind Sie geboren? — _____ 29. August 1941.
C	
B	3. Der Zug kommt _____ 9.32 Uhr in Köln an.
D	4. Und _____ Ende war alles wieder gut.
	5. Wollen Sie mit ins Kino kommen? — Ich habe den Film leider schon _____ ein paar Tagen gesehen.
E	6. _____ dem Unfall mußte ich einige Tage mit dem Bus fahren, bis mein Wagen repariert war.
A	
D	7. Ich habe _____ Sommer Geburtstag.
	8. Als wir _____ zwei Jahren hier waren, gab es hier noch kein Hotel.
B	9. _____ nächsten Sonntag ist doch das Fußballspiel Hamburger SV gegen Bayern München!
A	
	10. Wir kamen erst spät _____ _____ Nacht zurück.
E	11. Er sollte nur einige Minuten warten. Als ich aber _____ zehn Minuten zurückkam, war er nicht mehr da.
C	
	12. Der Film fängt _____ 20.15 Uhr an.

5

§ 1

A	Ich glaube nicht, daß wir noch _____ diesem Jahr damit fertig werden, sicher erst im nächsten.
	Ich fahre am liebsten _____ Winter in Urlaub.
	Direktor Hartmann ist leider nicht da, aber _____ _____ Stunde ist er sicher zurück.
B	Wenn Sie wollen, können Sie _____ Montag damit anfangen.
	Die Sachen müssen _____ 30. fertig sein.
	_____ Anfang war es ganz anders.
C	Sagen Sie ihm bitte, er soll genau _____ elf wiederkommen.
	Ich bin sicher erst _____ halb eins zurück.
D	Ist er schon wieder da? — Ja, er ist schon _____ zwei Stunden zurückgekommen.
	Haben Sie es erst nach der Reise gehört? — Nein, ich wußte es schon _____ _____ Reise.
E	Gehen Sie vor dem Essen hin? — Nein, _____ _____ Essen.
	_____ _____ Kino habe ich keine Zeit mehr, aber vielleicht könnten wir uns vorher schon im Café „Royal" treffen.

A

B

1. Wir sind schon _____ sechs Jahren verheiratet.

2. Also dann, _____ bald!

C

3. Jetzt weiß ich es, aber _____ _____ Woche wußte ich noch nichts davon.

D

4. Wie lange dauert es noch? —

_____ drei Tagen ist es fertig.

E

5. Der Wagen kam _____ rechts, aber ich habe ihn zu spät gesehen.

F

6. Er ging _____ unten und öffnete.

D

7. _____ einem Jahr sehen wir uns wieder.

B

8. Es ist wohl besser, wenn wir noch _____ morgen warten.

E

9. _____ vorn sah sie nicht so gut aus.

A

10. _____ _____ letzten Sommer ist hier alles anders geworden.

C

11. Die Sache passierte _____ zwei Jahren.

F

12. Gehen Sie bitte _____ oben, mein Vater ist auf der Terrasse.

Ich bin erst _____ gestern hier.

_____ einigen Tagen funktioniert der Apparat nicht mehr so richtig.

Ich muß heute _____ um sechs arbeiten, dann habe ich frei.

Damit müssen wir noch _____ nächstes Jahr warten.

Der Bau ist erst _____ zwei Wochen fertig geworden.

Sie wurde _____ _____ Monat operiert.

_____ wenigen Tagen beginnt der Sommer.

Bis September, d. h. _____ fünf Wochen, muß der Bau fertig sein.

Waren Sie unten? —
Nein, ich komme gerade _____ oben.

Haben Sie ihn gesehen? —
Ja, aber nur _____ hinten.

Ich bringe nur schnell die Sachen _____ oben, dann komme ich.

Gehen Sie bitte _____ hinten, mein Mann ist im Garten.

A

B

C

D

E

F

A

1. Sie fanden den Film nicht so interessant? —

Nein, ich fand den ersten Film viel _____ .

B

2. Ist das Haus sehr alt? —

Ja, es ist das _____ Haus in dieser Stadt.

C

3. Alles ist natürlich sehr wichtig, aber diese Sache ist am

_____ .

D

4. Sind Ihnen die Farben kräftig genug? —

Haben Sie nicht noch _____ ?

B

5. Ist denn der Weg so sicher? —

Das ist der _____ Weg, den ich kenne.

D

6. Das ist mir zu teuer, ich suche etwas _____ .

A

7. Ist das nicht der höchste Berg? —

Nein, der andere ist noch _____ .

C

8. Sind Sie länger geblieben als er? —

Nein, er ist am _____ geblieben.

B

9. Wenn sie ins Kaufhaus geht, kauft sie sich immer das

_____ vom Modernen.

A

10. Natürlich ist er nicht größer, sondern _____

als ich.

C

11. Hat er schlecht gearbeitet? —

Ja, _____ von allen.

D

12. Der Fiat ist mir zu klein, ich brauche einen

_____ Wagen.

2

§ 3

Diese Gegend ist aber sehr ruhig. —

Ja, hier ist es _____ als bei uns.

Hans ist nicht so alt wie ich. —

Ich dachte, er wäre _____ als Sie.

Das Kleid da ist wirklich sehr schön. —

Das andere finde ich noch _____ .

Ist denn der Film so neu? —

Ja, das ist sein _____ Film.

Gestern war es sehr warm; es war bis jetzt der

_____ Tag in diesem Sommer.

Ist er denn wirklich so wichtig? —

Ja, er ist der _____ Mann in diesem Betrieb.

Ich finde das alles interessant, aber das, was Sie eben gesagt

haben, finde ich am _____ .

Ist das das ruhigste Zimmer? —

Ja, hier ist es _____ _____ .

Im Januar war es kälter als im Februar. —
Ich dachte, es wäre immer im Februar _____

_____ .

Dieser Apparat ist zwar nicht teuer, aber ich suche einen

noch _____ .

Hat der Wagen einen starken Motor? —

Er hat einen viel _____ Motor als mein
alter Volkswagen.

Sind Ihnen diese Sachen nicht modern genug? —

Haben Sie denn nichts _____ als das?

A

B

C

D

E

F

B

C

E

D

A

F

1. Viel ist das nicht, aber _____ konnte ich leider nicht finden.

2. Was für ein Bild hätten Sie gern? —
_____ _____ hätte ich einen Druck von Picasso.

3. War er der beste? —
Nein, Stefan war noch _____.

4. Ich habe zwar viel gelernt, aber das _____ davon habe ich schon wieder vergessen.

5. Gehen Sie gern ins Theater? —
Nein, ich gehe _____ ins Kino.

6. Am besten komme ich wohl morgen wieder?
Ja, ich glaube, es wäre das _____.

7. Sind Sie gern hier? —
Ja, _____ _____ würde ich für immer hier bleiben.

8. Hat er einen guten Apparat? —
Einen _____ als ich.

9. Was möchten Sie _____, Kaffee oder Tee?

10. Haben Sie mehr dafür getan als er? —
Nein, er hat am _____ dafür getan.

11. Der Apparat kostet sicher keine 150 Mark. —
Ja, _____ kostet er auf keinen Fall.

12. Spricht er gut Englisch? —
Ja, er spricht _____ _____ von uns allen.

A

Brauchen Sie wirklich so viel? —

Ich glaube, ich brauche noch ....

Sein Geld ist nicht weniger geworden, sondern ....

B

Was essen Sie gern? —

Am .... esse ich gebratenen Fisch.

Zu diesen Leuten gehe ich nicht gern, ...

.... würde ich zu Haus bleiben.

C

Spricht er auch so gut wie Sie? —

Er spricht noch viel .... als ich.

Meine Kamera ist zwar gut, aber ich möchte gern eine

....

D

Haben Sie mehr Geld als er? —

Nein, er hat wohl das ....

Wir haben alle nicht viel Zeit; fragen Sie lieber Herrn Tiez,

der hat noch .... Zeit von uns allen.

E

Wann wäre es Ihnen .... , morgen oder Montag?

Wollen wir uns auf die Terrasse setzen? —

Es ist doch ein wenig kalt, gehen wir ....
hinein!

F

Möchte er nicht mitkommen? —

Vielleicht, ... fragen Sie ihn aber
selbst.

Ist das Hotel gut? —

Ja, es ist das .... weit und breit.

1. Ich wohne ganz in der Nähe _____ Universität.

2. Das Hotel ist am anderen Ende _____ Platzes.

3. Sind die Platzkarten teurer geworden? —

Nein, der Preis _____ Platzkarten hat sich nicht geändert.

4. Von den Einwohnern _____ Hauses hat niemand etwas gesehen.

5. _____ Koffer ist das? —

Er gehört dem Herrn dort.

6. Sind Sie Ende _____ Woche wieder zurück?

7. Hat das Hotel jetzt einen anderen Namen? —

Ja, man hat den Namen _____ Hotels geändert.

8. Wir wohnen in der Nähe _____ Bahnhofs.

9. _____ Apparat ist das? —

Das ist Stefans Apparat.

10. Da müßten Sie bis ans Ende _____ Welt fahren.

11. Hat der Wagen einen kräftigen Motor? —

Ja, der Motor _____ Wagens ist sehr kräftig.

12. Mehr als 50 Prozent _____ Frauen hat diese Partei gewählt.

§ 4

Das Kino ist dort am Ende .... Straße.

Hat die Firma eine neue Adresse? —
Ja, die Adresse .... Firma hat sich geändert.

Der Name .... Verkäuferin war Jansen.

Im Zimmer .... alten Mannes sind zwei Stühle, ein
Tisch, ein Teppich, ein Bett und ein Schrank.

Er wohnt in der Nähe .... Hafens.

Die Produktion .... großen deutschen Firmen ist in
den letzten Monaten um 20 Prozent gestiegen.

65 Prozent .... deutschen Männer möchten, daß ihre
Frau sparsam ist.

Er hat sein Zimmer im obersten Stock .... Hauses.

Das Kleid hat eine schöne Farbe. —
Ja, die Farbe .... Kleides gefällt mir auch, aber es ist
mir leider zu groß.

Haben Sie die genaue Adresse .... Restaurants?

.... Wagen ist das? —
Das ist der Wagen von Herrn Hartmann.

Wissen Sie, wem die Sachen gehören? —
Nein, ich weiß auch nicht, ... Sachen das
sind.

14

A

B

§ 4

C

D

A

D

B

C

A

B

D

A

1. Er wohnt in dem Haus, _____ Sie dort am Ende der Straße sehen.

2. Nehmen Sie lieber einen Wagen, _____ Motor etwas stärker ist.

3. Den Herrn, _____ _____ ich gerade gesprochen habe, kennen Sie sicher auch.

4. Denken Sie dabei auch an die Kinder, _____ Mütter arbeiten müssen?

5. Stefan Andres, _____ 1906 in Trier geboren wurde und 1970 gestorben ist, wurde bekannt durch seinen Roman „Wir sind Utopia".

6. Wir waren im Sommer auf einer Insel, _____ Naturschönheiten wirklich einmalig sind.

7. Wir haben in einem Hotel gewohnt, _____ Gäste aus allen Ländern Europas kamen.

8. Die Leute, _____ _____ _____ ich wohne, sind zur Zeit verreist.

9. Welche Dame wollte mich sprechen? — Da sitzt die Dame, _____ Sie sprechen wollte.

10. Er hat einen dünnen Hals, _____ Haut trocken und runzelig ist.

11. Dieser Roman erzählt die Geschichte einer Frau, _____ Leben ein Beispiel ist für viele.

12. Welchen meinen Sie? Den? — Ja, das ist er, _____ ich meine.

2

§ 4

Haben Sie jetzt die Papiere, _____ Sie mir zeigen wollten?	**A**
Mein Zimmer ist nicht sehr groß. — Ich habe auch eins, _____ nicht sehr groß ist.	
Der Mantel, _____ ich im Kaufhof gekauft habe, war nicht so teuer.	
Ich habe einen Apparat, _____ sehr gut funktioniert.	
Das ist der Junge, _____ Vater Direktor ist.	**B**
Ich hätte lieber ein Bild, _____ Farben etwas kräftiger sind.	
Sie hat ein Gesicht, _____ Schönheit einmalig ist.	
Es gibt immer wieder Leute, _____ so etwas zu lange dauert.	**C**
Bei wem haben Sie es bestellt? — Da steht der Ober, _____ _____ ich es bestellt habe.	
Bis jetzt gibt es auf den Universitäten noch nicht viele Studenten, _____ Väter Arbeiter sind.	**D**
Das ist eine Stadt, _____ Häuser fast alle älter als hundert Jahre sind.	
Die Fabrik, _____ Direktor Herr Schmitt ist, hat in diesem Jahr mehr produziert als im letzten.	

16

A

1. _____ wir im letzten Sommer an der Nordsee waren, regnete es jeden Tag.

B

2. _____ man jung ist, macht man sich darüber natürlich noch nicht so viele Gedanken.

C

3. Das geht alles viel langsamer, _____ Sie denken.

A

4. _____ wir schließlich damit anfingen, war es schon halb zehn.

B

5. Rufen Sie mich bitte sofort an, _____ der neue Wagen da ist!

A

6. _____ wir gestern aus dem Café kamen, war es schon dunkel.

C

7. Ich mußte früher zurückkommen, _____ ich eigentlich wollte.

B

8. Wann besuchen Sie uns wieder? —
_____ ich mal wieder in Berlin bin.

A

9. _____ ich noch so jung war wie Sie, war es mir natürlich auch gleich.

C

10. Es war alles ganz anders, _____ ich dachte.

A

11. _____ ich plötzlich sah, was los war, war nichts mehr zu machen.

B

12. _____ das Wetter sonntags schön war, fuhren wir in die Berge.

3

§ 5

A

Erst _____ die Straße fertig war, wurde mit dem Bau der Fabrik begonnen.

_____ es zu regnen anfing, waren wir gerade an der Kreuzung.

_____ ich dort ankam, war ich recht müde.

Wir waren kaum zu Haus, _____ das Gewitter anfing.

_____ es immer schlimmer wurde, mußten wir schließlich doch den Arzt holen.

B

Vergessen Sie bitte nicht, es ihm zu sagen, _____ er zurückkommt.

Ich wollte ihn ja anrufen, aber immer, _____ ich sein Büro anrief, war er nicht da.

Im Winter war es abends schon dunkel, _____ wir aus der Schule kamen.

Warum muß es denn immer regnen, _____ ich Urlaub habe?!

C

Es war alles viel schwerer, _____ es zuerst schien.

Der Wein ist besser, _____ ich dachte.

Es ging alles viel schneller, _____ es eigentlich sollte.

18

A

B

C

B

A

C

A

B

C

B

A

C

1. Warum müssen Sie noch mal nach Haus? —

_____ ich meine Papiere vergessen habe.

2. Wozu brauchen Sie das? —

_____ meinen Wagen zu reparieren.

3. Rufen Sie ihn lieber an, _____ er nicht denkt, Sie hätten es vergessen!

4. Wollen Sie dort arbeiten? —

Ja, ich fahre nach München, um _____ _____ _____ .

5. Man kann nicht bis ans Wasser fahren, _____ die Straße noch nicht fertig ist.

6. Warum wollen Sie nicht, daß er mitkommt? —

_____ wir uns in Ruhe unterhalten können.

7. Warum haben Sie mich gestern abend nicht noch angerufen? —

_____ es schon so spät war.

8. Ich bleibe lieber zu Haus, _____ mir im Fernsehen das Fußballspiel anzusehen.

9. Warum wollen Sie es jetzt so machen? —

_____ es das nächste Mal besser klappt.

10. Wird er es uns sagen? —

Er hat schon angerufen, um _____ _____ _____ _____ .

11. Ich kann nicht mitkommen, _____ ich um elf eine Verabredung habe.

12. Kommen Sie schnell, _____ uns keiner sieht!

§ 6

Er konnte nicht kommen, _____ er krank war.

Warum machen Sie das so? —

_____ es mir so besser gefällt.

Sonntag konnte ich nicht kommen, _____ wir Besuch hatten.

Warum wollen Sie umziehen? —

_____ uns die alte Wohnung zu klein geworden ist.

Warum wollen Sie nach Deutschland? —

_____ dort _____ studieren.

Will er sich anmelden? —

Ja, er kommt, _____ _____ _____ .

Er ist gekommen, _____ uns _____ helfen.

Will er den Wagen kaufen? —

Ja, er ist hingefahren, _____ den Wagen _____ _____ .

Rufen Sie ihn lieber an, _____ er nicht zu lange wartet!

Warum wollen Sie es ihr schreiben? —

_____ sie es ganz genau weiß.

_____ Sie es nicht vergessen, gebe ich Ihnen diesen Zettel.

Warum haben Sie es ihm gesagt? —

_____ er es nicht erst von anderen Leuten hört.

der-
olen
Sie!

7

11

5

9

1

13

9

3

11

15

13

1

1. _____ nächstes Jahr finden wir bestimmt etwas Passendes.

2. Ich glaube, es ist am _____, wenn wir jetzt gehen.

3. _____ Ende sah es ganz anders aus.

4. Heute ist es wirklich sehr schön! —
Ja, es ist seit Wochen der _____ Tag.

5. Holen Sie mir bitte den Mantel _____ _____ Schrank!

6. Das Gesicht _____ Mannes ist alt und müde.

7. Sind Sie älter als Ihre Schwester? —
Nein, _____ .

8. _____ _____ Wand hing ein Spiegel.

9. Was hören Sie _____ , alte oder neue Musik?

10. Das ist der Herr, _____ Bild ich Ihnen vor ein paar Tagen gezeigt habe.

11. Wem gehört die Tasche da? —
Ich weiß auch nicht, _____ Tasche das ist.

12. Am Nachmittag machen wir einen Spaziergang _____ Wald.

21

1. _____ Winter trug er den langen grauen Mantel.

2. Ich habe zwei Schwestern, die jünger sind als ich.
Maria ist die _____ von uns dreien.

3. Ich mußte mich sofort _____ Bett legen.

4. Das hat sich _____ _____ letzten Jahren sehr
geändert.

5. Es gibt dabei immer viele Schwierigkeiten, aber diesmal
hatten wir _____ Schwierigkeiten als sonst.

6. Es gibt nicht viele Wohnungen, _____ Miete
nicht zu hoch ist.

7. Mein Zimmer war ganz am anderen Ende _____
Stadt.

8. Er ist schon sehr kräftig, er möchte aber noch
_____ werden.

9. Heute geht es ihr Gott sei Dank _____ als
gestern.

10. _____ 1889 gibt es in Deutschland die Invaliditäts-
und Altersversicherung.

11. Der Wecker steht _____ _____ Tisch.

12. Dann ging es plötzlich mit Schwierigkeiten los, _____
_____ ich zuerst nicht gedacht hatte.

A

1. Du fährst viel zu schnell, ... lieber etwas langsamer!

B

2. Soll ich dir helfen? —

Ja, sei bitte so nett und .... mir!

C

3. Dürfen wir noch etwas bleiben? —

Ja, ... ruhig noch, wenn ihr wollt!

D

4. .... froh, daß Ihnen nichts passiert ist!

C

5. Wann sollen wir euch abholen? —

.... uns bitte kurz vor sechs ....!

A

6. Soll ich ihn mal fragen? —

Ja, sei bitte so gut und .... ihn!

B

7. Du sprichst immer so schnell, ... lieber etwas langsamer!

D

8. Nun nimm es schon und .... zufrieden!

A

9. Soll ich ihn sofort anrufen? —

Nein, ... ihn lieber etwas später ....!

D

10. Warum müßt ihr denn immer alles wissen? ....

doch nicht immer so neugierig!

B

11. Wieviel darf ich mir nehmen? —

.... dir, was du brauchst!

C

12. Sollen wir es mitnehmen? —

Ja, seid bitte so nett und .... es ....!

A

Warum willst du erst um acht kommen? ....
lieber etwas früher!

Soll ich noch etwas bleiben? —
Ja, sei bitte so nett und .... noch!

Soll ich hier anhalten? —
Ja, ... hier bitte .... !

B

Wann soll ich dir den Apparat geben? —
.... ihn mir bitte morgen!

Darf ich den Brief lesen? —
Ja, ... ihn ruhig, wenn du willst!

Du ißt viel zu schnell, ... doch nicht immer so schnell!

C

Dürfen wir uns etwas davon nehmen? —
Ja, ... euch, was ihr wollt!

Sollen wir ihn auch einladen? —
Ja, ... ihn lieber auch .... !

.... bitte noch etwas Geduld! Ihr werdet sehen,
bald wird alles wieder besser.

D

.... doch vernünftig und mach das nicht so!

.... bitte so nett und nehmt die Sachen mit!

Sie sind sonst ja nicht sehr pünktlich, ...
.... bitte morgen besonders pünktlich!

A

1. Warten Sie bitte noch ein paar Minuten! —

Ich habe keine Zeit, noch länger _____ _____ .

B

2. Kommt er im nächsten Sommer wieder? —

Ja, er hofft, im nächsten Sommer _____ .

C

3. Haben Sie den Film schon gesehen? —

Ich glaube, ihn schon _____ _____ _____ .

D

4. Können Sie es mir besorgen? —

Ich hoffe, es Ihnen _____ _____ _____ .

A

5. Gehen Sie doch zum Arzt! —
Ich habe keinen Grund, _____ _____ _____

_____ .

C

6. Haben Sie es ihm gesagt? —

Ich bin sicher, es ihm _____ _____ _____ .

B

7. Soll ich ihn morgen anrufen? —
Ja, vielleicht versuchen Sie, _____ _____

_____ .

A

8. Ich möchte gern etwas trinken. —

Ich hätte auch Lust, _____ _____ .

D

9. Sie können also erst um fünf kommen? —
Ja, es tut mir leid, nicht vorher _____ _____

_____ .

C

10. Jetzt bin ich natürlich froh, so lange gewartet _____

_____ .

B

11. Gehen Sie gern spazieren? —

Nein, es macht mir keinen Spaß, _____ .

A

12. Soll ich ihn fragen? —

Ja, versuchen Sie bitte, _____ _____ _____ .

4

§ 8

A

Bleiben Sie doch noch ein wenig! —
Ich habe leider keine Zeit, noch länger _____
_____ .

Fahren Sie doch nach Paris! —
Ich habe keine Lust, _____ _____ _____
_____ .

Ich fahre nicht gern zu schnell. —
Ich habe auch Angst, _____ _____ _____
_____ .

Ich möchte gern ins Café gehen. —
Ich hätte auch Lust, _____ _____ _____
_____ .

B

Wann sehen wir uns wieder? —
Ich hoffe, Sie bald _____ .

Nehmen Sie die Sachen mit? —
Ich denke nicht daran, sie _____ .

Soll ich jetzt anfangen? —
Ja, vielleicht versuchen Sie, _____
_____ .

C

Ich freue mich, Sie kennengelernt _____ _____ .

Haben Sie ihn verstanden? —
Ja, ich glaube, ihn _____ _____ _____
_____ .

Haben Sie alles richtig gemacht? —
Ich bin sicher, alles richtig _____ _____
_____ .

D

Können Sie das Buch mitbringen? —
Ich hoffe, es _____ _____ _____ .

Können Sie nicht kommen? —
Nein, es tut mir leid, nicht _____ _____
_____ .

26

A	1. Rauchen Sie nicht mehr? — Nein, ich habe aufgehört _____ _____ .
A	2. Sind Sie sicher, daß Sie etwas Passendes finden? — Ich hoffe, etwas _____ _____ _____ .
B	3. Wann wollen Sie zurückfahren? — Wir haben vor, schon am Sonntag _____ .
A	4. Muß sie jetzt allein leben? — Ja, sie muß sich daran gewöhnen, allein _____ _____ .
A	5. Bis jetzt habe ich fast nichts verstanden, aber jetzt beginne ich langsam _____ _____ , worum es hier geht.
C	6. Er freut sich, einen so guten Eindruck gemacht _____ _____ .
A	7. Wofür sparen Sie? — Wir haben uns vorgenommen, für eine Wohnung _____ _____ .
A	8. Spielen Sie noch Tennis? — Nein, ich habe aufgehört, _____ _____ _____ .
C	9. Bei dem Wetter freuen wir uns natürlich, zu Haus geblieben _____ _____ .
A	10. Streiten sie sich schon wieder? — Ja, sie fangen immer wieder an, _____ _____ _____ .
B	11. Haben Sie sich den Film schon angesehen? — Nein, noch nicht. Lohnt es sich denn, sich den Film _____ ?
A	12. Probieren Sie's mal, auf dem Kopf zu stehen und dabei eine Tasse Tee _____ _____ !

4

§ 8

	A
Will Inge heiraten? —	
Ja, sie hat vor ＿＿＿ ＿＿＿ .	
Regnet es noch? —	
Nein, es hat aufgehört ＿＿＿ ＿＿＿ .	
Wollen Sie es allein machen? —	
Ja, ich will probieren, es ＿＿＿ ＿＿＿	
＿＿＿ .	
Studiert Ihr Junge schon? —	
Nein, er beginnt im Herbst ＿＿＿ ＿＿＿ .	
Vielleicht sollten Sie da etwas ändern. —	
Es lohnt sich wohl nicht, da ＿＿＿ ＿＿＿	
＿＿＿ .	
Habt ihr bei euch in den Bergen schon Schnee? —	
Ja, bei uns hat es schon vor zwei Wochen angefangen	
＿＿＿ ＿＿＿ .	
Wollten Sie nicht Spanisch lernen? —	
Ja, ich hatte mir vorgenommen, in diesem Winter	
＿＿＿ ＿＿＿ ＿＿＿ .	
Warum macht er das immer wieder so? —	
Weil er sich daran gewöhnt hat, es so und nicht anders	
＿＿＿ ＿＿＿ .	

	B
Kennen Sie Herrn Lerch schon? —	
Nein, aber ich hoffe, ihn bald	
＿＿＿ .	
Fahren Sie im Urlaub nicht weg? —	
Nein, wir haben nicht vor, im Urlaub ＿＿＿ .	

	C
Ich freue mich, Sie hier getroffen ＿＿＿ ＿＿＿ .	
Erst wollte er nicht mitfahren, und jetzt freut er sich	
natürlich mitgefahren ＿＿＿ ＿＿＿ .	

28

A

1. Plötzlich wollte der Motor nicht mehr, und der Wagen blieb ....

B

2. Warum haben Sie ihn nicht gefragt? —
Ich habe leider vergessen, ihn ....

C

3. Kommt Peter nicht mit? —
Nein, er darf ....

B

4. Freuen Sie sich, daß Sie ihn bald wiedersehen? —
Ja, ich freue mich, ihn bald ....

A

5. Kann ich das Gepäck hier stehenlassen? —
Ja, lassen Sie es ruhig ....

C

6. Verstehen Sie Herrn Schmitt? —
Ja, ich kann ....

B

7. Ich warte nicht gern so lange. —
Mir gefällt es auch nicht, so lange ....

A

8. Müssen Sie heute noch einkaufen? —
Ja, ich fahre nachher noch ....

C

9. Will er es anders machen? —
Ja, er hat mir gesagt, daß er es anders ....
....

B

10. Rufen Sie ihn vorher noch an? —
Ja, ich will versuchen, ihn vorher noch ....

A

11. Kommen die Kinder? —
Ja, ich sehe sie ....

B

12. Fahren Sie doch auch mit! —
Ich habe keine Lust ....

4

§§
8/9

A

Wann essen wir? —
Wir gehen sofort _____.

Möchten Sie sich auf meinen Platz setzen? —
Nein, bleiben Sie ruhig da _____.

Spricht er noch? —
Ja, ich höre ihn _____ _____.

Herr Krause möchte gern morgen kommen. —
Lassen Sie ihn ruhig _____ _____.

B

Gehen Sie gern schwimmen? —
Oh ja, ich versuche, jeden Tag schwimmen _____
_____.

Warum haben Sie nicht angerufen? —
Ich habe leider vergessen _____.

Jetzt bin ich natürlich froh, Spanisch gelernt _____
_____.

Freut er sich, daß er sie wiedersieht? —
Ja, er freut sich, sie _____.

Ich möchte gern in die Berge fahren. —
Ich hätte auch Lust, _____ _____ _____
_____.

C

Fahren Sie nach Hamburg? —
Ja, ich muß noch heute _____ _____
_____.

Wollen Sie ihn auch einladen? —
Ja, ich möchte ihn gern _____.

Soll ich das machen? —
Ja, der Chef sagt, daß Sie es _____.

30

A 1. Mit dem Bau der Straße _____ 1965 begonnen.

B 2. Wann wird er operiert? —

Er ist gestern schon _____ _____ .

C 3. Darf man hier rauchen? —

Nein, hier darf nicht _____ _____ .

B 4. Wann wird der Wagen repariert? —
Er ist schon vor zwei Tagen _____

_____ .

A 5. Wann werden die Bilder abgeholt? —

Sie _____ morgen früh _____ .

C 6. Hat man alles versucht? —

Es wurde versucht, was versucht _____ konnte.

A 7. Ißt man bei Ihnen freitags Fisch? —

Ja, bei uns _____ freitags immer Fisch _____ .

C 8. Warum machen Sie das so? —
Weil das so und nicht anders _____
_____ muß.

B 9. Wo wird das Konzert veranstaltet? —
Ich glaube, im Schloß, denn bis jetzt sind dort alle Konzerte _____ _____ .

B 10. Hat man auch vom Geld gesprochen? —
Nein, davon _____ nicht _____

_____ .

C 11. Konnte man den Fahrer noch retten? —

Ja, er konnte noch _____ _____ .

B 12. Hoffentlich werden unsere Zimmer rechtzeitig bestellt! —

Sie sind schon vor ein paar Tagen _____ _____ .

A

Am Anfang _____ viel hin und her probiert, jetzt nicht mehr.

Trinkt man in Ihrer Gegend viel Wein? —

Ja, bei uns _____ viel Wein _____ .

Wie lange wird der Wagen gebraucht? —

Er _____ drei Tage _____ .

Das Parlament _____ alle vier Jahre neu gewählt.

B

Alle Räume sind nach dem Krieg restauriert _____ .

Werden die Papiere heute oder morgen abgeholt? —
Sie sind doch schon gestern _____
_____ .

Ich wurde nicht gefragt. —

Doch, Sie sind von mir _____ _____ .

Wird der Apparat heute gebracht? —

Er ist doch schon gestern _____ _____ .

C

Der Verletzte mußte sofort ins Krankenhaus gebracht _____ .

Konnte man alle Leute retten? —

Ja, alle konnten _____ _____ .

Wird das Haus wieder aufgebaut? —
Ja, man sagt, daß es wieder _____
_____ soll.

Haben Sie Herrn Sommer nicht eingeladen? —

Er wollte nicht _____ _____ .

A	1. Ist das Schloß zerstört? —
	Ja, es .... 1944 durch Bomben zerstört.
B	2. So, die Koffer .... gepackt, jetzt kann die Reise beginnen.
A	3. Am Anfang .... immer viel hin und her probiert.
A	4. Ich habe es eilig, um sechs .... die Post geschlossen.
B	5. Haben Sie sich verletzt? —
	Nein, ich .... nicht verletzt.
A	6. Ist der Brief schon geschrieben? —
	Ja, er .... heute vormittag schon weggeschickt.
B	7. Als ich dort ankam, ... das Kaufhaus schon geschlossen.
A	8. Das Schloß soll im nächsten Jahr restauriert ....
A	9. Wie alt ist das Haus? —
	Ich weiß nicht, wann es gebaut ....
B	10. Hatten Sie Ihren Wagen falsch geparkt? —
	Ja, der Wagen .... falsch geparkt.
A	11. Bei dem Unfall .... seine Frau schwer verletzt.
B	12. Plant die Firma nicht, ein neues Haus zu bauen? —
	Doch, ein Neubau .... geplant.

A

Morgen _____ Herr Müller schon wieder aus dem Krankenhaus entlassen.

Ist das Haus schon verkauft? —
Nein, vielleicht _____ es auch nicht mehr verkauft.

Der Hof _____ „Die Einöde" genannt, weil es weit und breit keine anderen Häuser gibt.

Ist der Wagen schon repariert? —
Nein, er muß noch _____ _____ .

Von wem _____ das Fest veranstaltet?

Sind die Karten schon bestellt? —
Ja, sie _____ gestern schon bestellt.

_____ der Apparat noch benötigt?

B

Das Haus _____ seit 1945 zerstört.

Nach dem Unfall _____ mein Wagen schwer beschädigt, und ich mußte ihn zur Reparatur bringen.

Wie lange _____ die Läden geöffnet?

Entschuldigen Sie! _____ der Platz hier besetzt?

Die Apparate _____ noch sehr gut erhalten.

A

B

C

B

A

C

A

C

B

C

A

B

1. Der Dom ist älter _____ alle anderen Bauten in dieser Stadt.

2. Er sieht genauso aus _____ der Bruder von Herrn Hansen.

3. Dann kommen wir sicher wieder viel _____ spät zurück.

4. _____ du siehst, bin ich noch da.

5. Es kam alles ganz anders, _____ wir vorher wissen konnten.

6. Sie ist _____ alt zum Heiraten.

7. Es ist doch besser geworden _____ das letzte Mal.

8. Ist Ihnen das nicht _____ teuer?

9. Das ist so gut _____ sicher.

10. Der Rock ist mir viel _____ groß.

11. Er verdient mehr _____ ich.

12. Klug, _____ er ist, wird er es schon schaffen.

§§
5/11
12

35

A

Ich glaube, er ist jünger _____ sie.

Der Kölner Dom ist höher _____ der Mainzer.

Es ging alles viel schneller, _____ wir dachten.

Im Krieg wurden hier mehr Häuser zerstört _____ in der Stadtmitte.

B

Ist er größer als Sie? —
Nein, er ist nicht so groß _____ ich.

Es wird genauso kommen, _____ ich es gesagt habe.

_____ gesagt, ich glaube das nicht.

Der Bau ist genauso wiederhergestellt worden, _____ er früher war.

C

Der Mantel ist mir viel _____ teuer.

Er ist _____ alt, um so was machen zu können.

Nehmen Sie die Sache nicht _____ leicht!

Ich bin _____ müde zum Spazierengehen.

eder-
holen
Sie!

. 13

. 9

. 31

. 11

. 29

. 7

. 1

. 17

. 25

. 19

. 3

. 23

1. Die Einrichtung _____ Innenräume ist völlig neu.

2. Ist dieser Apparat größer oder _____ als der andere?

3. Wird das nicht bald geändert? –
Das ist doch schon _____ _____ !

4. Ist das Restaurant gut? —
Es ist das _____, das ich kenne.

5. Setzen Sie sich doch! Warum wollen Sie stehen _____ ?

6. _____ _____ Woche ist mein Urlaub schon wieder vorbei, dann muß ich wieder zur Arbeit.

7. Das Stück dauert sehr lange, wir kommen sicher nicht vor zwölf _____ _____ Theater.

8. Er hat hier angerufen, _____ Sie gerade weg waren.

9. Ich bin froh, vorher schon mit ihm darüber gesprochen _____ _____ .

10. Ich sage es Ihnen nur jetzt schon, _____ Sie sich hinterher keine Sorgen machen.

11. _____ _____ Insel wohnen kaum 50 Menschen.

12. Was soll ich anziehen? —
_____ doch dein blaues Kleid _____ !

1. _____ der Bau fertig ist, ziehen wir ein.

S. 1

2. Er ist _____ In- und Ausland gut bekannt.

S.

3. Was soll ich nur anziehen? Ich habe wirklich nichts mehr

_____ .

S. 2

4. Jetzt haben wir schon _____ vier Jahren keinen

schönen Sommer mehr gehabt.

S.

5. Man hat das Schloß wieder aufgebaut, _____ dort

Konzerte _____ veranstalten.

S. 1

6. _____ welchem Fluß liegt Hamburg?

S.

7. Ich glaube nicht, daß sie älter ist als er, sie ist bestimmt

_____ .

S.

8. _____ doch froh, daß dir nichts passiert ist!

S. 2

9. _____ zweiten Weltkrieg kamen Tausende durch

Bomben um.

S.

10. Du hast doch viele Sachen im Schrank! —
Ja, aber die _____ davon sind völlig altmodisch.

S. 1

11. Das Schloß, _____ älteste Teile ins 16. Jahrhundert gehören, wurde vor dreißig Jahren schwer beschädigt.

S. 1

12. Dieses Jahr _____ die Kleider und Röcke

wieder länger getragen.

S. 3

A

7

B

§ 13

1. Wollen Sie nicht den Anfang _____ ?

A

2. _____ Sie das bitte in den Schrank!

A

3. Ich möchte mir ein Kleid _____ lassen.

B

4. Wieviel _____ das zusammen?

A

5. Ich habe mit der ganzen Sache nichts zu _____ .

A

6. Das _____ mich noch ganz krank!

B

7. Da haben Sie einen großen Fehler _____ .

A

8. Er _____ immer so freundlich.

B

9. Komm doch mit, wir _____ einen Spaziergang!

A

10. Er hatte alle Hände voll zu _____ .

B

11. Das Ganze _____ mir keinen Spaß mehr.

12. Trinken Sie das! Das wird Ihnen gut _____ .

39

A

Natürlich möchte ich gern einen guten Eindruck

....

Warten Sie bitte, ich muß erst Ordnung ....

Ich hoffe, ich werde es besser ....

.... Sie bitte Licht!

Ich möchte gern seine Bekanntschaft ....

Ich weiß gar nicht, wie ich das wieder gut ....

soll.

.... Sie sich doch nicht so viele Gedanken

darüber!

B

Ich will damit nichts zu .... haben.

Ich werde versuchen, mein Bestes zu ....

Das .... mir wirklich leid.

Ich glaube, er .... nur so.

Ich kann .... und lassen, was ich will.

A	1. Ich hab's nicht gewußt. Haben _____ gewußt, Fräulein Klein?
B	2. Wollen Sie's mal probieren? Ja, ich _____ gern mal probieren.
C	3. Haben Sie's auch so gemacht? — Ja, ich _____ auch so gemacht.
B	4. Ich weiß nicht, ob ich's dir sagen soll. — Bitte, bitte, _____ mir doch!
A	5. Soll ich das Geld morgen mitbringen? — Ja, bringen _____ bitte morgen mit!
C	6. Brauchen Sie das Papier? — Nein, ich _____ nicht.
A	7. Wenn uns niemand helfen will, machen _____ eben allein.
B	8. Waren Sie das? — Nein, ich _____ nicht gewesen.
C	9. Versuchen Sie's doch noch mal! — Gut, ich _____ noch mal.
B	10. Dauert Ihnen das zu lange? — Ja, mir _____ zu lange.
A	11. Und seine Frau? Hat _____ nicht gewußt?
B	12. Nehmen Sie das Gepäck mit? — Ja, ich _____ mit.

A

Ich habe das Buch schon gelesen. Und Sie? Haben ....
schon gelesen?

Tun Sie's gern? —
Nein, gern tue .... nicht, aber es muß ja sein.

Sie weiß es. Und er? Weiß .... auch?

Ich habe das Visum noch nicht bekommen. Und Sie?
Haben .... schon bekommen?

B

Genügt Ihnen das? —
Ja, mir ....

Wann wird er's mir sagen? —
Er .... Ihnen nicht vor Montag sagen.

Ist Ihnen das gleich? —
Ja, mir .... gleich.

Bis wann muß ich dir das Geld zurückgeben? —
.... mir bitte bis Freitag zurück!

C

Haben Sie's gesehen? —
Nein, ich .... nicht gesehen.

Wollen Sie sich's auch ansehen? —
Ja, ich .... mir auch an.

Ich hab's immer so gemacht und .... auch das
nächste Mal wieder so.

Haben Sie das Buch? —
Ja, ich ....

A	1. (treten) Plötzlich sah ich das Kind auf der Straße und _____ auf die Bremse.
B	2. (reißen) Der Junge _____ alles, was er in die Hand bekam, in Stücke.
C	3. (scheinen) Gestern _____ die Sonne den ganzen Tag.
D	4. (ziehen) Als wir noch jung waren, _____ wir von einer Bar in die andere.
A	5. (sterben) Er _____ allein und von aller Welt vergessen.
E	6. (behalten) Er _____ den Apparat und gab ihn nicht zurück.
C	7. (schreien) Ich _____, so laut ich konnte.
B	8. (ergreifen) Er _____ das Messer, das vor ihm auf dem Tisch lag.
E	9. (geraten) Schon beim letzten Mal _____ wir darüber in Streit.
A	10. (springen) Er _____ auf die fahrende Straßenbahn.
D	11. (heben) Er _____ zwar den Kopf, sah mich aber nicht.
B	12. (schneiden) Die Mutter _____ das Brot und gab jedem ein Stück.

(treten)

Wir öffneten die Tür und _____ ins Haus.

(sterben)

Er _____ ganz plötzlich.

(springen)
Der alte Mann _____ aus dem Fenster, um sich das Leben zu nehmen.

(ergreifen)
Ein Junge _____ die Handbremse und brachte den Wagen zum Stehen.

(reißen)

Er _____ alles an sich, was er bekommen konnte.

(schneiden)

Er fuhr sehr schnell und _____ alle Kurven.

(schreien)

Die Kinder _____ und lachten.

(scheinen)
Als der Mond _____, konnte man alles genau sehen.

(ziehen)

Ich _____ die Brieftasche und wollte zahlen.

(heben)

Wir _____ die Gläser und tranken auf sein Wohl.

(geraten)
Den Schiffen, die in Not _____, wurde geholfen.

(behalten)

Er _____ das ganze Geld für sich.

A

B

C

D

E

A

B

C

D

A

D

C

A

B

C

D

A

§ 17

8

1. Nachdem ich die Fahrkarte gekauft _____, ging ich zum Zug.

2. Inge ist nicht hier, sie _____ gerade weggegangen.

3. Ich glaube, ich _____ sie gestern im Kino gesehen.

4. Woher sollte er wissen, wohin wir gegangen _____ ?

5. Er _____ uns gebeten, auch zu kommen, aber wir konnten nicht kommen.

6. Diesmal blieb er nur zwei Tage. Früher _____ er immer viel länger _____ .

7. Ich _____ gerade einen Brief von ihm bekommen und werde sofort antworten.

8. Kaum _____ es angefangen zu regnen, da wurden die Straßen leer.

9. Er _____ zurückgekommen und will's noch mal versuchen.

10. Wenn Sie bezahlt _____ , können wir gehen.

11. Als wir angekommen _____ , fuhren wir sofort ins Hotel.

12. Diesmal machte er es richtig. Früher _____ er es immer falsch _____ .

45

A

Nachdem er bezahlt _____, verließ er das Café.

Kaum _____ er mich gesehen, da kam er über die Straße auf mich zu.

Plötzlich hatte ich genug Geld. Früher _____ ich nie genug _____ .

Er _____ mich zwar eingeladen, aber ich konnte nicht kommen.

B

Er _____ gestern operiert worden und muß noch zehn Tage im Krankenhaus bleiben.

Es _____ eben passiert, und wir können nichts mehr daran ändern.

C

Wenn es Ihnen dort gefallen _____, wollen Sie im nächsten Urlaub sicher wieder dorthin fahren.

Wir _____ ihn angerufen, und jetzt warten wir, daß er kommt.

Sind Sie sicher, daß er die Sache nicht schon vergessen _____?

D

Ich hörte erst viel später, was passiert _____ .

Diesmal war ich sehr unruhig. Früher _____ ich immer viel ruhiger _____ .

Nachdem er aus dem Urlaub zurückgekommen _____, war er einige Tage krank.

A

B 1. Wieviel haben Sie _____ den Mantel gezahlt?

C 2. Ich suche eine Bluse, die _____ diesem Rock paßt.

D 3. Wir mußten fast eine Stunde _____ ihn warten.

4. Er hat _____ nichts angefangen und ist jetzt ein reicher Mann.

A 5. Viele halten ihn _____ den größten Musiker des 20. Jahrhunderts.

B 6. Was sagen Sie _____ neuen Krankenversicherungsgesetz?

A 7. Ich danke Ihnen _____ Ihren Brief vom 5. Dezember.

D 8. _____ wem wollen Sie denn darüber sprechen?

C 9. Achten Sie bitte auch _____ die Kleinigkeiten!

B 10. Diese Bilder gehören _____ den besten, die er gemacht hat.

A 11. _____ welchen Wagen haben Sie sich entschieden?

C 12. Ich freue mich schon _____ den nächsten Urlaub.

A

Viel wird man Ihnen nicht mehr .... den Wagen zahlen.

Ich danke Ihnen .... die Einladung.

Ich habe mich .... den größeren Apparat entschieden.

Ich halte es .... das beste, wenn wir es sofort machen.

B

Das gehört nicht .... Sache.

Diese Bluse paßt sehr gut .... dem blauen Rock.

Was werden die Leute .... sagen?

C

.... wen warten Sie?

Achten Sie bitte .... , daß alles richtig gemacht wird!

.... das kommende Wochenende freue ich mich ganz besonders.

D

Im Sommer fangen wir schon um halb acht .... der Arbeit an.

Ich habe noch .... dir zu sprechen.

A	1. Käse wird _____ Milch gemacht.
B	2. Fräulein Sommer hat mir viel _____ Ihnen erzählt.
C	3. Wir haben uns sehr _____ Ihren Besuch gefreut, kommen Sie bald mal wieder!
D	4. Es handelt sich _____ eine wichtige Sache.
A	5. Das Buch besteht _____ mehreren Teilen.
C	6. Natürlich haben wir bei dieser Gelegenheit auch _____ die Firma gesprochen.
B	7. Wer hätte das _____ ihm gedacht!
E	8. Und denken Sie bitte _____ die Papiere, ich brauche Sie nämlich morgen!
D	9. Wenn ich etwas falsch gemacht haben sollte, bitte ich Sie _____ Verzeihung.
C	10. Ich hatte bis jetzt noch keine Zeit, _____ die Sache nachzudenken.
E	11. Halten Sie sich genau _____ das, was ich Ihnen gesagt habe.
B	12. Das hängt ganz _____ Wetter ab, ob wir fahren oder nicht.

5–55425/1

A

Dieser Satz besteht _____ sechs Wörtern.

_____ dem Schloß hat man ein Museum gemacht.

B

Ich möchte wissen, was Sie jetzt _____ mir denken.

Das hängt ganz _____ ab, ob wir genug Zeit haben.

Das ist alles, was sie mir _____ ihm erzählt hat.

C

Haben Sie schon mit dem Direktor _____ den Preis gesprochen?

Vielen Dank für den Fotoapparat, ich habe mich sehr _____ gefreut.

Haben Sie schon _____ den Plan nachgedacht?

D

Er hat mich _____ Hilfe gebeten.

Es handelt sich _____ eine schwarze Tasche.

E

Jetzt möchte er natürlich nicht mehr _____ erinnert werden.

Wir haben uns genau _____ den Plan gehalten.

eder-holen Sie!		1. Wollen Sie ihn wirklich danach fragen? — Ja, ich habe die feste Absicht, ihn danach _____ _____ .
. 25		
. 45		2. Was für einen Wagen wollen Sie sich kaufen, wenn Sie den alten verkauft _____ ?
. 35		3. Ich reise lieber mit dem Zug _____ mit dem Flugzeug.
. 23		4. Soll ich aufstehen? — Ja, _____ bitte _____ und laß den alten Mann sitzen!
. 31		5. Bis wann muß man die Steuern zahlen? — Die Steuern müssen bis zum 31. März _____ _____ .
. 45		6. Früher _____ ich oft mehrere Tage allein geblieben, jetzt aber konnte ich keine Stunde mehr allein sein.
. 25		7. Es tut mir wirklich leid, ihn nicht mehr zu Haus getroffen _____ _____ .
. 41		8. Ich brauch's nicht, kannst _____ vielleicht brauchen?
. 31		9. In der ganzen Welt _____ Deutsch gelernt.
. 39		10. Hatte er mit der ganzen Sache wirklich nichts zu _____ ?
. 29		11. Wollen Sie auch mitfahren? — Ja, ich möchte gern _____ .
. 43		12. (schreien) Die einen lachten, die anderen _____ .

51

Wieder holen Sie!

1. Lassen Sie ihn allein fahren? —

Nein, allein lasse ich ihn _____ _____ .

S. 2

2. Die Koffer können Sie gar nicht allein tragen, die sind

ja viel _____ schwer!

S. 3

3. (ziehen) Der Herr setzte sich auf eine Bank und _____

eine Zeitung aus der Tasche.

S. 4

4. Wollen Sie dorthin zurückkehren? —
Ja, ich habe vor, im Sommer dorthin

_____ .

S. 2

5. Warum schreist du denn so, _____ doch endlich

ruhig!

S. 2

6. Nachdem wir uns ein Eis gekauft _____ ,

setzten wir uns und lutschten es.

S. 4

7. Ich kann ja aufstehen, wenn Sie hier sitzen möchten. —

Nein, bleiben Sie ruhig dort _____ !

S. 2

8. Diesmal kam ich wieder so spät an _____ beim

letzten Mal.

S. 3

9. Darf ich noch ein Eis essen? —

_____ doch nicht immer soviel Eis!

S. 2

10. Das hast du gut _____ !

S. 3

11. Die Koffer sind in Hamburg aufgegeben _____ .

S. 3

12. Tun Sie's auch? —

Nein, ich _____ lieber nicht.

S.

A

1. Und was wurde aus Ihrem Urlaub, den Sie so schön geplant hatten? —

Der _____ Urlaub fiel natürlich ins Wasser.

B

2. Haben Sie auch Blusen, die zu dem Rock passen? —

Hier sind ein paar _____ Blusen dazu.

C

3. Strengt Sie das nicht sehr an? —

Doch, das ist sehr _____ .

A

4. Haben Sie denn die Zeit, die dafür benötigt wird? —

Die dafür _____ Zeit hätte ich schon, aber ich habe keine Lust.

D

5. (schreien)

Laut „Hilfe" _____ lief sie auf die Straße.

A

6. Und was wird mit dem Spiel, das abgebrochen werden mußte? —

Das _____ Spiel wird am Sonntag wiederholt.

C

7. Nehmen Sie das! Das beruhigt. —

Wirkt das wirklich _____ ?

B

8. Sieht er gut aus? —

Ja, er ist ein gut _____ älterer Herr.

A

9. Was hat sie gelernt? —

Sie ist _____ Sekretärin.

D

10. (schweigen)
Als wir das gehört hatten, saßen wir lange

_____ da.

C

11. Beängstigt Sie das nicht? —

Doch, ich finde das Ganze sehr _____ .

B

12. Das wird sicher bald vorübergehen. —

Ich glaube auch, daß es nur eine _____ Sache ist.

	Wurden viele Leute entlassen? — Ja, aber alle _____ Arbeiter haben schon wieder einen neuen Arbeitsplatz gefunden.
	Was macht die Polizei mit Wagen, die falsch geparkt sind? — Falsch _____ Wagen werden abgeschleppt.
	Sie haben Ihre Frage doch sicher oft wiederholt? — Ja, aber auf meine _____ Fragen habe ich nie eine Antwort bekommen.
	Sie können die Sachen, die Sie letzte Woche bestellt haben, abholen. — Wann kann ich die _____ Sachen abholen?
	Ist es richtig, daß die Temperaturen hier immer gleichbleiben? — Ja, hier herrschen immer _____ Temperaturen.
	Das ist ein Ziel, das sich lohnt. — Ja, das ist ein _____ Ziel.
	Waren viele Gäste da, die selbst zahlten? — Nein, die meisten waren eingeladen, _____ Gäste gab es nur wenige.
	In den nächsten Tagen wird das schlechte Wetter überwiegen. — Ja, es soll _____ kühl und unbeständig sein.
	Sie ist so schön, daß sie allen Leuten auffällt. — Ja, sie ist wirklich _____ schön.
	Waren Sie überrascht, daß er so früh zurückkam? — Ja, er kam _____ früh zurück.
	(lächeln) Zufrieden _____ beobachtete er die Kinder bei ihrem Spiel.
	(flüstern) _____ standen sie in der Ecke.

A

B

C

D

1. Aus Kindern .... Leute.

2. Wenn Sie ihn sehen, ... Sie ihn nicht wiedererkennen.

3. Ich .... auch gern Urlaub in Italien machen, aber leider fehlt mir das Geld dazu.

4. Er .... schon noch kommen.

5. Die Kirche .... im 17. Jahrhundert vollendet.

6. Die alte Frau mußte sofort ins Krankenhaus gebracht ....

7. Das .... sich sicher bald ändern.

8. Niemand bleibt immer jung, wir .... alle älter.

9. Was .... Sie an meiner Stelle tun?

10. Bei dem Unfall .... zwei Personen verletzt.

11. Jetzt wird alles ganz anders, Sie .... es sehen.

12. Machen Sie sich keine Sorgen! Das .... so schnell wie möglich erledigt.

Was studiert dein Bruder? —

Medizin, denn er möchte Arzt _____ .

Sehen Sie, das Wetter ist wieder schön _____ .

Wenn es nicht klappt, _____ Sie enttäuscht sein.

Wir _____ ihn so bald nicht wiedersehen.

Wir _____ viel lieber hier bleiben, haben aber leider keine Zeit mehr.

An Ihrer Stelle _____ ich das nicht tun.

Wenn Sie einen Moment warten wollen – Herr Winter _____ sicher gleich zurückkommen.

Seine Frau _____ wohl noch krank sein.

Bei meiner alten Firma _____ ich auch nicht besser bezahlt.

Als sie nicht wiederkamen, _____ sie überall gesucht.

Heute _____ er operiert.

Der Bau soll so wiederhergestellt _____ , wie er früher war.

A

B

1. Das _____ auf keinen Fall in Betracht.

2. Wir werden versuchen, der Sache auf den Grund zu

_____ .

C

3. Das Gesetz soll am 1. Januar in Kraft _____ .

A

4. Natürlich wird dann das Ganze noch einmal zur Sprache

_____ .

B

5. Bis jetzt _____ noch alles nach Wunsch.

A

6. Ich weiß nicht, ob Inge allein auf diesen Gedanken

_____ .

C

7. Sie können auch selbst mit ihm in Verbindung

_____ .

A

8. Man ließ mich einfach nicht zu Wort _____ .

B

9. Am besten ist es, Sie _____ der ganzen Sache

aus dem Weg.

C

10. Wenn er Urlaub macht, werde ich an seine Stelle

_____ .

A

11. Das _____ überhaupt nicht in Frage!

B

12. Man muß eben mit der Zeit _____ .

A

Er _____ für diese Stelle nicht in Betracht.

Auf diesen Gedanken wäre ich nicht _____ .

Er konnte nicht zu Wort _____ .

Dieses Problem ist nicht zur Sprache _____ .

Kannst du mir sagen, warum das nicht in Frage
_____ ?

B

_____ Sie ihm lieber aus dem Weg!

Hoffentlich _____ alles nach Wunsch!

Ich weiß nicht, wie ich der Sache auf den Grund
_____ soll.

Ich kann doch nicht so altmodisch herumlaufen. Ich muß
schließlich auch mit der Zeit _____ !

C

Ich werde versuchen, auch mit den anderen in Verbindung
zu _____ .

Ach, Herr Schmitt arbeitet nicht mehr bei Ihnen?!
Wer ist denn an seine Stelle _____ ?

In diesem Jahr wird das Gesetz nicht mehr in Kraft
_____ .

A

1. Sie hatten sich das Ziel _____, bis 1970 einen Menschen auf den Mond zu schicken.

B

2. _____ Sie bitte Platz!

A

3. Er wird 65 und will sich zur Ruhe _____ .

C

4. _____ Sie in dieser Sache lieber Ihren Arzt zu Rate!

D

5. Sie _____ da eine Frage, auf die ich Ihnen leider nicht antworten kann.

E

6. Es ist gar nicht so einfach, ihn zum Reden zu _____ .

C

7. Ich glaube, daß sich der Abend etwas in die Länge _____ wird.

A

8. Lohnt es sich wirklich, dafür Ihren guten Namen aufs Spiel zu _____ ?

D

9. Ich weiß nicht, ob wir aus diesem Grund alles in Frage _____ sollen.

B

10. Die Zeit für ein kurzes Gespräch müssen Sie sich schon _____ .

A

11. Haben Sie sich schon mit dem Direktor selbst in Verbindung _____ ?

E

12. Wer hat ihn bloß auf den Gedanken _____ ?!

A
.... Sie sich mit Ingenieur Weber in Verbindung, der kann es Ihnen sicher erklären!

Welches Ziel haben Sie sich .... ?

Um das zu bekommen, ... ich gern alles, was
ich habe, aufs Spiel.

Ich möchte mich gern schon einige Jahre früher zur Ruhe
....

B

Dort können Sie Platz ....

Natürlich .... ich mir die Zeit dafür.

C

Ich werde lieber meinen Vater zu Rate ....

Unser Gespräch hat sich etwas in die Länge
....

D

Dadurch wird die ganze Sache natürlich in Frage
....

Es werden immer wieder dieselben Fragen ....

E

Versuchen Sie's doch, ihn zum Reden zu .... !

Da haben Sie mich auf einen guten Gedanken
....

A

1. _____ Sie ihn lieber in Ruhe, er will nichts davon wissen.

B

2. Ich bin nicht sicher, ob er sein Wort _____ wird.

C

3. Wir _____ schon seit Jahren mit ihm in Verbindung.

D

4. Die Ärzte hoffen, daß er am Leben _____ wird.

E

5. Mit ihm muß man schon sehr viel Geduld _____.

A

6. Krank wie du bist, solltest du lieber das Trinken _____.

D

7. Hoffentlich _____ es bei dem Entschluß von gestern!

B

8. _____ Sie sich immer schön ans Gesetz, dann kann nichts passieren!

C

9. Es _____ sehr viel dabei auf dem Spiel.

B

10. Sie sollten in Ihren Papieren mehr Ordnung _____!

A

11. Ich _____ ihm immer freie Hand, denn ich weiß, er wird es gut machen.

E

12. _____ Sie einen weiten Weg oder wohnen Sie in der Nähe?

12

§ 22

A

Der Arzt hat mir gesagt, ich soll das Trinken

....

Er hat mir völlig freie Hand ....

Sie sollten ihn lieber damit in Ruhe ....

B

Er hat sich in dieser Sache nicht immer ans Gesetz

....

Du solltest in deinem Zimmer mehr Ordnung ....

Sehen Sie, ich habe mein Wort .... !

C

.... Sie schon lange mit ihm in Verbindung ?

Wissen Sie eigentlich, was dabei morgen alles auf dem

Spiel .... ?

D

Nachdem ich nun einmal den Entschluß gefaßt habe,

.... ich auch dabei.

Niemand ist am Leben ....

E

.... Sie bitte noch etwas Geduld !

Ich muß jetzt leider schon gehen, ich .... noch

einen weiten Weg.

12

1. Er ist ein sehr guter Arzt, einen _____ finden Sie sicher nicht.

2. Gehen Sie da nicht ein großes Risiko ein? — _____ kein Risiko _____, werden wir unseren Entschluß erst in einigen Tagen fassen.

3. _____ _____ Bank saß schon jemand.

4. Nachdem ich ihm alles erklärt _____, war er zufrieden.

5. Das Tief über dem Atlantik, _____ Ausläufer nach Deutschland vordringen, wird in den nächsten Tagen unser Wetter bestimmen.

6. Das paßt eigentlich gar nicht _____ ihm.

7. Ich traf ihn immer, _____ ich meine Besorgungen machte.

8. _____ zwei Tagen hatten wir noch das schönste Sommerwetter, und jetzt ist es kalt wie im Winter.

9. Im Wartezimmer _____ Arztes saßen viele Kranke.

10. Das wechselhafte Wetter _____ mich noch ganz nervös.

11. _____ _____ Nacht gab es plötzlich ein großes Gewitter.

12. Ich _____ ja immer schon gesagt!

der-
olen
Sie!
11
19
3
45
15
47
17
7
13
39
5
41

63

1. Er hat einen sehr zuverlässigen Eindruck auf mich

_____ .

S.

2. Wir hatten wirklich einen schönen Sommer. —

Ja, das war seit vielen Jahren der _____ .

S.

3. Sie haben einen Jungen, _____ _____ Sie stolz sein können.

S.

4. _____ Westen bleibt das Wetter weiter kühl und unbeständig.

S.

5. Sie ist sicher noch sehr jung. —

Ja, sie ist _____ , als sie aussieht.

S.

6. Ich habe Ihnen das alles vorher gesagt, _____ Sie nachher nicht enttäuscht sind.

S.

7. Vergessen Sie bitte nicht, was ich gesagt

_____ !

S.

8. _____ _____ Wetter habe ich mich schon gewöhnt.

S.

9. Kommen Sie auch _____ _____ Gegend?

S.

10. _____ er es mir gestern abend sagte, habe ich mich sehr gefreut.

S.

11. Trinken Sie eine Tasse Kaffee, das wird Ihnen gut

_____ !

S.

12. Es ist schon sehr bewölkt, und es bewölkt sich immer

_____ .

S.

A

1. Kann er sich nicht darum kümmern? —

Nein, er sagt, er _____ sich nicht darum kümmern.

B

2. Spricht er mehrere Sprachen? —

Man sagt, er _____ mehrere Sprachen.

C

3. Hat er denn keine Angst? —

Doch, er hat mir gesagt, er _____ große Angst.

D

4. Ist das wirklich so wichtig? —

Er meint, das _____ nicht so wichtig.

B

5. Hält er es denn für möglich? —

Ja, er sagt, er _____ es für möglich.

A

6. Kann er nicht etwas später vorbeikommen? —

Nein, er hat mir gesagt, später als um vier _____ er nicht vorbeikommen.

B

7. Braucht er die Sachen noch? —

Ja, er sagt, er _____ sie noch.

D

8. Er irrt sich, wenn er meint, er _____ schon damit fertig.

A

9. Will er denn nicht den Arzt fragen? —

Doch, er sagt, er _____ jetzt endlich einen Arzt fragen.

C

10. Hat er denn einen Grund dafür? —

Mir hat er gesagt, er _____ einen.

A

11. Muß sie wirklich zu Haus bleiben? —

Ja, sie meint, sie _____ zu Haus bleiben.

B

12. Glauben Sie, daß er noch kommt? —

Mir hat er gesagt, er _____ etwas später.

A

Will er noch mal anrufen? —

Ja, er hat mir gesagt, er _____ noch mal anrufen.

Muß er das selbst machen? —

Ja, er meint, er _____ es selbst machen.

Kann sie nicht mitkommen? —

Mir hat sie erzählt, sie _____ mitkommen.

Fräulein Klein will nächsten Monat heiraten. —
Mir hat man auch gesagt, sie _____ im nächsten
Monat heiraten.

B

Findet er das gut so? —

Er sagt, er _____ es sehr gut.

Freut sie sich denn gar nicht darauf? —

Doch, sie hat gesagt, sie _____ sich sehr darauf.

Gefällt es Ihren Eltern dort? —

Sie haben mir geschrieben, es _____ ihnen
dort sehr gut.

Fährt er noch in die Stadt? —

Er sagt, er _____ nachher noch in die Stadt.

C

Er soll ein Haus in den Bergen haben. —

Mir hat er auch gesagt, er _____ dort ein Haus.

Er sagt, er _____ es nicht getan.

D

Er sagt, er _____ es nicht gewesen.

Ist dieser Apparat besser? —

Ich habe gehört, er _____ besser.

§ 24

A
1. Muß ich mich jetzt schon entscheiden? —
Nein, Sie brauchen sich jetzt noch nicht ....
....

B
2. Muß ich schon um zehn kommen? —
Nein, Sie .... erst um elf zu kommen.

C
3. Wenn Sie in die Gartenstraße wollen, ...
Sie sich auf jeden Fall dort an der Kreuzung links halten.

A
4. Müssen wir auch darüber noch sprechen? —
Nein, darüber .... wir heute nicht mehr zu
sprechen.

C
5. Darf ich mitkommen? —
Ja, wenn Sie ....

A
6. Müssen Sie ihn noch davon überzeugen? —
Nein, ihn braucht man nicht mehr davon ....
....

B
7. Müssen wir schon Montag zurückkommen? —
Nein, Sie brauchen erst Mittwoch ....

C
8. Können Sie ihn abholen? —
Natürlich .... ich ....

A
9. Soll ich Sie am Bahnhof abholen? —
Nein, Sie brauchen mich nicht ....

C
10. Ich möchte dieses Risiko auf keinen Fall
....

A
11. Müssen wir noch mal wiederkommen? —
Nein, wir .... nicht noch mal wiederzukommen.

B
12. Sie brauchen ihm nur die richtige Frage ....
.... , dann werden Sie sehen, was er antwortet!

Müssen Sie das allein organisieren? — Nein, ich brauche das nicht allein _____ _____ .	**A**
Muß sie denn so herumlaufen? — Nein, sie braucht wirklich nicht so _____ .	
Soll ich es Ihnen besorgen? — Nein, Sie _____ es mir nicht zu besorgen.	
Müssen Sie's sich noch überlegen? — Nein, ich brauch's mir nicht mehr _____ _____ .	
Müssen Sie das machen? — Nein, ich _____ es nicht zu machen.	
Muß ich auch Herrn Schmitt fragen? — Nein, Sie brauchen nur Herrn Krause _____ _____ .	**B**
Muß ich noch weiter fahren? — Nein, Sie _____ nur bis zur Kreuzung zu fahren.	
Was soll ich nur mit ihm machen? — Sie brauchen ihn nur in Ruhe _____ _____ .	
Weiter kommen wir hier nicht, ich _____ den Wagen hier stehenlassen.	**C**
Darf man hier parken? — Nein, ich glaube, hier _____ Sie _____ _____ .	
Wohin wollen Sie? — Ich _____ ins Kino.	
Kann ich hier weiterfahren? — Ja, hier _____ Sie ruhig _____ .	

§ 25

1. Wir _____ es sehr bedauern, wenn Sie ohne Ihre Frau kämen.

2. Ich wollte, ich _____ mehr Zeit!

3. Wenn er mich nur endlich damit in Ruhe _____ !

4. Würden Sie's ihm erzählen? —

Nein, ich _____ ihm nichts _____ .

5. Gott sei Dank hat er noch angerufen! —

Was wäre passiert, wenn er nicht angerufen _____ ?

6. Sie sagt's ihm bestimmt. —

Wenn sie's ihm nur nicht sagen _____ !

7. Leider geht bis jetzt nicht alles nach Wunsch! —

Ich wünschte, es _____ alles nach Wunsch.

8. Hätten Sie das von ihm gedacht? —

Nein, das _____ ich wirklich nicht von ihm gedacht.

9. Gott sei Dank bleibt er nur einen Tag! —

Was wäre, wenn er länger _____ ?

10. Er erfährt es bestimmt. —

Es wäre besser, er _____ es nicht erfahren!

11. Wenn ich das vorher gewußt _____ , _____ ich natürlich nichts gesagt.

12. Gott sei Dank kümmert er sich darum! Denken Sie mal, er _____ sich nicht darum _____ !

A

Vielleicht erledigt er das ja selber? —

Es wäre gut, wenn er es selber erledigen _____ .

Das würden Sie doch sicher sehr bedauern? —

Ja, ich _____ es sehr _____ .

Wenn Sie so krank wären wie er, _____ Sie auch

noch nicht aufstehen.

Hoffentlich glaubt er's uns! —
Es wäre schlimm, wenn er's uns nicht _____

_____ !

Vielleicht überlegt er es sich ja noch mal! —
Es wäre natürlich das beste für ihn, wenn er es sich noch

mal überlegen _____ .

B

Ich wünschte, ich _____ einen Wagen!

Hätten Sie das auch so gemacht? —

Ja, ich _____ das sicher genauso gemacht.

Hat er etwas gesagt? —
Nein, aber es wäre besser gewesen, er _____
etwas gesagt!

Wenn er sich rechtzeitig um alles gekümmert _____ ,

_____ wir jetzt nicht diese Schwierigkeiten.

C

Hoffentlich bleibt er bei seinem Entschluß! —

Es wäre schade, wenn er nicht dabei _____ .

Ich wollte, er _____ endlich das Rauchen!

Leider geht es ihm noch nicht wieder besser. —
Wie schön wäre es, wenn es ihm endlich wieder besser

_____ !

A

1. Ich wollte, ich _____ schon wieder gesund!

B

2. Könnten Sie sich für so etwas begeistern? —

Nein, ich _____ mich nicht dafür begeistern.

C

3. Zum Glück weiß er nichts davon! —

Es wäre schlimm, wenn er etwas davon _____ .

B

4. Sie kann leider nicht länger bleiben. —

Ich wünschte, sie _____ noch bleiben.

A

5. Wenn es nicht so spät gewesen _____ , _____

ich auch noch hingegangen.

C

6. Leider kommt er nicht selbst. —

Es wäre wirklich besser, wenn er selbst _____ .

A

7. Wären Sie in dieser Situation nicht nervös? —

Doch, ich _____ dann auch nervös.

C

8. Tut er das wirklich? —

Wenn er das _____ , wäre ich ihm sehr böse.

B

9. Das können wir Gott sei Dank vermeiden! —
Es wäre schlimm, wenn wir es nicht vermeiden

_____ .

A

10. Wären Sie denn damit zufrieden? —

Nein, ich _____ auch nicht damit zufrieden.

C

11. Zum Glück gibt es hier nicht nur ein Theater! —

Es wäre schlecht, wenn es hier nur ein Theater _____ !

B

12. Gott sei Dank können wir es selbst machen! —
Denken Sie mal, wie teuer es wäre, wenn wir es nicht

selbst machen _____ !

§ 25

A

Ich wünschte, ich _____ nicht so nervös!

Schade, er ist nicht zu Haus! —

Ich wollte, er _____ zu Haus.

Wenn ich noch so jung _____ wie du, würde ich's auch schaffen.

Zum Glück ist er morgen wieder da! —
Es wäre schade, wenn er morgen noch nicht wieder da
_____ !

B

Könnten Sie das erledigen? —

Ja, das _____ ich, wenn Sie mir etwas Zeit lassen.

Können Sie's nicht machen? —
Wenn ich's machen _____ , hätte ich's schon längst getan.

Er kann nicht kommen. —

Ich wollte, er _____ kommen!

Kann er denn nicht Auto fahren? —
Wenn er Auto fahren _____ , brauchte seine Frau doch nicht immer zu fahren.

C

Gott sei Dank weiß er es schon! —

Es wäre schlecht, wenn er es noch nicht _____ .

Hoffentlich bekommt er die Stelle! —
Wenn er die Stelle _____ , wäre ich sehr glücklich.

Hoffentlich kommt er auch! —

Ja, es wäre prima, wenn er auch _____ .

Gott sei Dank gibt es hier wenigstens ein Kino! —
Es wäre schlimm, wenn es hier nicht mal ein Kino
_____ !

der-
blen
Sie!

25

1. Jetzt freue ich mich natürlich, den Umweg gemacht
....

67

2. Muß man die Karten immer vorher bestellen? —
Nein, man braucht sie nur am Wochenende vorher
....

31

3. Mußte man die Straße sperren? —
Ja, die Straße mußte ....

23

4. .... doch vernünftig und rauch nicht so viel!

65

5. Er soll noch nicht zurückgekommen sein. —
Ja, ich habe auch gehört, er .... noch nicht zurückgekommen.

31

6. Hat man auch auf die geänderte Abfahrtszeit hingewiesen? —
Ja, darauf .... auch hingewiesen.

59

7. Es war nicht möglich, ihn zum Schweigen zu
....

25

8. Konnten Sie ihn überzeugen? —
Es war nicht schwer, ihn ....

55

9. Machen Sie sich nur keine Sorgen! Er .... schon
die richtigen Maßnahmen treffen.

57

10. Bis jetzt ist noch alles nach Wunsch ....

35

11. Keiner ist so lustig .... er.

61

12. Ich glaube nicht, daß sie Wort ....
wird.

1. Der lernt es nie, er ist viel _____ faul!

S.

2. Da ist noch ein Stuhl für dich, _____ bitte Platz!

S.

3. Müssen wir jetzt auch schon aufhören? —
Nein, Sie _____ noch nicht aufzuhören.

S.

4. Können Sie nicht mitkommen? —
Nein, ich bedauere sehr, nicht _____
_____ _____ .

S.

5. Sie studieren Physik? Was wollen Sie denn _____ ?
Ingenieur?

S.

6. Hören Sie? Er schimpft. —
Ja, ich höre _____ _____ .

S.

7. Die Zeit, um ins Theater oder Kino zu gehen, müssen
Sie sich schon mal _____ !

S.

8. Der Unterschied war größer, _____ ich gedacht hatte.

S.

9. _____ Sie mich doch endlich in Ruhe!

S.

10. Hat man das Problem immer noch nicht gelöst? —
Doch, es ist neulich _____ _____ .

S.

11. Glaubst du, daß es fliegende Untertassen gibt? —
Manche sagen, es _____ sie wirklich.

S.

12. Wissen Sie jemand anders, der für dieses Amt in
Betracht _____ könnte?

S.

A

1. Ich soll für ihn anrufen. —

Lassen Sie ihn doch ruhig selbst _____ !

B

2. Ist er mit dieser Lösung zufrieden? —

Ja, er scheint damit zufrieden _____ _____ .

A

3. Hören Sie sie? Sie reden. —

Ja, ich höre sie _____ .

A

4. Sehen Sie! Er läuft weg. —

Ja, ich sehe _____ _____ .

B

5. Bleiben Sie lange in Deutschland? —

Ich habe vor, ein halbes Jahr _____ _____ .

B

6. Haben Sie den Arzt angerufen? —

Ach, ich habe vergessen, ihn _____ .

A

7. Stefan möchte auch mitkommen. —

Lassen Sie ihn ruhig _____ .

B

8. Haben Sie ihm keine Andeutung gemacht? —
Ich werde mich hüten, ihm eine Andeutung _____

_____ .

B

9. Können Sie mir Bescheid geben? —
Ich hoffe, Ihnen bald Bescheid _____ _____

_____ .

A

10. Hören Sie, wie die Zuschauer schreien? —

Ja, ich höre sie _____ .

B

11. Gehen Sie gern im Regen spazieren? —

Ja, ich liebe es, im Regen _____ .

A

12. Sehen Sie, sie reden miteinander! —

Ja, ich sehe sie _____ _____ .

16

§ 26

75

A

Hören Sie ihn? Er schimpft schon wieder.
Ja, ich höre _____ _____ .

Soll ich hingehen? —
Nein, lassen Sie mich _____ !

Sehen Sie, wie sie auf den Bus warten? —
Ja, ich sehe sie auf _____ _____ _____ .

Hören Sie! Es regnet. —
Ja, ich höre es _____ .

Soll ich das machen? —
Nein, lassen Sie mich _____ _____ !

Bewegt er sich? —
Ja, ich sehe ihn _____ _____ .

B

Wollen Sie das allein machen? —
Ich denke nicht daran, das allein _____ _____ !

Regnet es noch? —
Nein, es hat aufgehört _____ _____ .

Wollen Sie dieses Risiko eingehen? —
Nein, man hat mir geraten, dieses Risiko nicht
_____ .

Wollen Sie den Apparat selbst reparieren? —
Ja, ich werde versuchen, ihn selbst _____
_____ .

Haben Sie den Herrn schon mal gesehen? —
Ich erinnere mich nicht, ihn schon mal _____
_____ _____ .

Hoffentlich wird er bald wieder gesund! —
Er selbst glaubt nicht mehr daran, wieder ganz gesund
_____ _____ .

A

1. Haben Sie gesehen, ob er weggegangen ist? —

Ja, ich habe ihn _____ _____ .

B

2. Ließ er überall nachfragen? —

Er wollte überall _____ _____ .

C

3. Jetzt schwimmt er wie ein Fisch, er hat nämlich im

Sommer schwimmen _____ .

D

4. Hat er nichts gespürt? —

Doch, er muß etwas _____ _____ .

A

5. Läßt er den Wagen nicht reparieren? —

Er hat ihn schon _____ _____ .

D

6. Wußte er es denn nicht? —

Eigentlich müßte er es _____ _____ .

B

7. Die Gelegenheit läßt er sich bestimmt nicht entgehen! —

Ja, die wird er sich nicht _____ _____ .

A

8. Haben Sie gehört, ob er zurückgekommen ist? —

Ja, ich habe ihn _____ _____ .

B

9. Läßt er den Schaden feststellen? —

Er wollte ihn _____ _____ .

D

10. Hat sie ihn erkannt? —

Ja, sie will ihn _____ _____ .

A

11. Lassen Sie denn nicht den Arzt rufen? —

Ich habe ihn schon _____ _____ .

C

12. Wo sind die Wagenpapiere?

Ich glaube, die sind im Wagen liegen _____ .

A

Wollen Sie den Schaden nicht beheben lassen? —
Ich habe ihn schon _____ _____ .

Haben Sie gesehen, daß sie gekommen ist? —
Ja, ich habe sie _____ _____ .

Wollten Sie sich nicht ein Kleid machen lassen? —
Ich habe mir schon eins _____ _____ .

Haben Sie gehört, wie er darüber gesprochen hat? —
Ja, ich habe ihn darüber _____ _____ .

B

Ließ man ihn das Ergebnis wissen? —
Ja, aber zuerst wollte man ihn das Ergebnis nicht
_____ _____ .

Konnten Sie sich allein heraushelfen? —
Nein, ich mußte mir _____ _____ .

Hat er selbst Nachforschungen angestellt? —
Nein, er wollte Nachforschungen _____
_____ .

C

Plötzlich ist er stehen _____ .

Meine Tochter hat schon mit vier Jahren lesen
_____ , und jetzt lernt sie rechnen.

D

Stimmte Ihre Vermutung denn? —
Ja, sie muß _____ _____ .

War er es wirklich nicht? —
Ich weiß nicht. Er will es nicht _____ _____ .

Ist sie schon angekommen? —
Sie müßte schon _____ _____ ,
wenn ihr Zug pünktlich war.

A   1. Haben Sie den Film schon gesehen? —
Nein, _____ _____, ich sehe ihn mir heute abend an.

B   2. Gab es hier früher schon ein Restaurant? —
Nein, bis vor einem Jahr gab es hier _____ _____ Restaurant.

C   3. Wußten Sie es denn noch nicht? —
Doch, ich wußte es _____, konnte es aber nicht glauben.

D   4. _____ in den Bergen _____ an der See mache ich so gern Urlaub wie hier.

C   5. Müssen Sie noch keine Brille tragen? —
Doch, zum Lesen muß ich auch _____ eine Brille tragen.

B   6. Haben Sie schon einen Platz gefunden? —
Nein, ich habe leider _____ _____ Platz gefunden.

C   7. Haben Sie noch keine Kinder? —
Doch, wir haben _____ zwei.

A   8. Hast du schon mit dem Meister darüber gesprochen? —
Nein, ich habe _____ _____ mit ihm gesprochen.

D   9. _____ mir _____ Herrn Schmitt war es möglich, die anderen zu überzeugen.

C   10. Haben Sie noch nicht angerufen? —
Doch, ich habe _____ angerufen, aber es meldete sich niemand.

B   11. Gab es hier früher schon eine Straße? —
Nein, früher gab es hier _____ _____ Straße.

A   12. Sind wir schon da? —
Nein, _____ _____, erst die nächste Haltestelle.

A

Hast du die Karten schon gekauft? —

Nein, _____ _____ , ich hatte keine Zeit.

Haben Sie den Brief schon gelesen? —

Nein, ich habe ihn _____ _____ gelesen.

Ist der Chef schon da? —

Nein, _____ _____ .

B

Haben Sie schon ein Zimmer reserviert? —

Nein, ich habe _____ _____ Zimmer reserviert.

Haben Sie schon einen Wagen? —

Nein, ich habe _____ _____ .

Haben Sie schon Telefon? —

Nein, wir haben _____ _____ Telefon.

C

Sind Sie um fünf noch nicht zurück? —

Doch, dann bin ich sicher _____ zurück.

Haben Sie den Verlust noch nicht gemeldet? —

Doch, das habe ich _____ getan.

Haben Sie noch keine Stelle gefunden? —

Doch, ich habe _____ eine gefunden, bin dort aber nicht sehr zufrieden.

Gibt es dort noch kein Hotel? —

Doch, es gibt dort _____ eins, aber es ist nicht sehr gut.

D

Ohne Brille kann ich _____ lesen _____ nähen.

Ich habe _____ Lust _____ Zeit mit- zukommen.

A

1. Hat es noch lange gedauert? —

Nein, es hat _____ _____ lange gedauert.

B

2. Haben Sie noch etwas Zeit? —

Nein, ich habe leider _____ _____ _____ .

C

3. Stefan wird sicher nicht mehr kommen. —

Doch, ich glaube, er kommt _____ .

D

4. Ist er schon verurteilt? —

Nein, er ist _____ _____ verurteilt.

C

5. Hast du kein Geld mehr? —

Doch, ich habe _____ etwas.

A

6. Können Sie sich noch daran erinnern? —

Nein, ich kann mich _____ _____ daran erinnern.

C

7. Können Sie den Hergang nicht mehr beschreiben? —

Ich wollte, ich könnte es _____ , aber leider habe ich alles vergessen.

B

8. Haben Sie noch ein Zimmer bekommen? —

Nein, wir haben _____ _____ _____ bekommen.

A

9. Bedauern Sie immer noch, daß Sie es so gemacht haben? —

Nein, jetzt bedauere ich es _____ _____ .

C

10. Haben Sie auch keine Zeit mehr? —

Doch, ich habe _____ ein paar Minuten Zeit.

A

11. Haben Sie ihn vorher noch gesehen? —

Nein, ich habe ihn vorher _____ _____ gesehen.

D

12. Haben Sie schon Arbeit gefunden? —

Nein, ich habe _____ _____ Arbeit gefunden.

A

Wird der Apparat noch benutzt? —

Nein, er wird _____ _____ benutzt.

Glauben Sie's noch? —

Nein, ich glaub's _____ _____ .

Konnten Sie die Uhrzeit noch ausfindig machen? —

Nein, ich konnte sie _____ _____ ausfindig machen.

Hat sie noch lange geweint? —

Nein, sie hat _____ _____ lange geweint.

B

Hast du noch Geld? —

Nein, ich habe leider _____ _____ _____ .

Brauchen Sie noch Hilfe? —
Nein, danke, ich brauche _____ _____

_____ .

C

Das kann man ihm bestimmt nicht mehr beweisen. —

Doch, das kann man ihm _____ beweisen.

Brauchen Sie die Papiere nicht mehr?

Doch, ich brauche sie _____ .

Haben Sie für mich keine Aufnahme mehr? —

Doch, für Sie habe ich _____ eine.

Das dauert sicher keine Stunde mehr. —

Doch, das dauert bestimmt _____ länger als eine Stunde.

D

Haben Sie schon eine Einladung bekommen? —

Nein, ich habe _____ _____ bekommen.

Ist das Schloß schon wiederaufgebaut? —

Nein, es ist _____ _____ ganz fertig.

A

B

17

§ 28

1. Hören Sie bitte gut zu, ich muß Ihnen ....

sehr Wichtiges sagen!

2. Ist jemand verletzt? —

Nein, Gott sei Dank ist .... verletzt.

C

3. Es geht hier um alles oder ....

D

4. Vor wenigen Minuten war .... da, der Sie

sprechen wollte.

E

5. Ist es vielleicht irgendwo schöner als hier? —

Nein, ... ist es so schön wie hier.

C

6. Verstehen Sie was von moderner Musik? —

Nein, ich verstehe .... davon.

D

7. War Herr Schmitt da? —

Nein, ... anders war da.

B

8. Wenn es passiert ist, will es ....

gewesen sein.

C

9. Brauchen Sie noch etwas? —

Nein, danke, ich brauche .... mehr.

A

10. Das ist mir zu teuer. —

Dann nehmen Sie doch .... Billigeres!

E

11. Wer war es? —

.... jemand, ich weiß nicht, wer.

B

12. Ist schon jemand gekommen? —

Nein, noch ....

83

§ 28

A

Ich möchte etwas, was modern ist. —

Hier haben Sie _____ Modernes!

Ich hoffe, bei dem Unfall ist niemand _____ passiert!

B

Haben Sie jemand gesehen? —

Nein, ich habe _____ gesehen.

Er macht das wirklich sehr gut. —

Ja, das kann _____ so gut wie er.

Hat jemand nach mir gefragt? —

Nein, _____ .

C

Früher war hier _____ als Wald.

Haben Sie schon etwas von ihm gehört? —

Nein, ich habe noch _____ von ihm gehört.

Wußten Sie etwas davon? —

Nein, ich wußte _____ davon.

D

War schon _____ da? —

Nein, noch niemand.

Niemand will es gewesen sein, aber _____ muß es doch getan haben!

E

Gefällt es Ihnen irgendwo besser als hier? —

Nein, _____ gefällt es mir besser.

Wann wollte er denn wiederkommen? —

Ich weiß es nicht; _____ wann.

---

§ 29

17

1. _____ ich ihn überall suchte, konnte ich ihn nirgends finden.

2. Die Leute sagen zwar, der Film sei nicht sehr gut, _____ möchte ich ihn mir ansehen.

3. Schließ bitte die Tür, _____ uns niemand hört!

4. _____ er sehr viel Geld verdient, ist er mit seiner Stelle nicht zufrieden.

5. Ich habe Sie rufen lassen, _____ ich Ihre Hilfe brauche.

6. Es regnete oft, _____ war der Urlaub schön.

7. _____ er weggegangen war, bemerkte er, daß er das Wichtigste vergessen hatte.

8. _____ er mir den Namen des Ortes oft gesagt hat, kann ich mich nicht mehr dran erinnern.

9. _____ es Ihnen nicht recht ist, müssen Sie es sagen!

10. _____ ich alles versucht hatte, konnte ich nichts Besseres ausfindig machen.

11. Der Arzt hat ihm gesagt, er solle das Rauchen lassen, _____ raucht er noch jeden Tag seine zwanzig Zigaretten.

12. _____ man ihm sein Spielzeug wegnahm, fing der Kleine an zu schreien.

A B C A C B C A C A B C

85

A

Er behielt die Sachen, _____ sie ihm nicht gehörten.

_____ ich ihm mehrmals geschrieben habe, hat er mir bis heute nicht geantwortet.

Er hat es nicht geschafft, _____ er immer ein guter Schüler war.

_____ das alles gar nicht so schlimm war, regte er sich doch sehr auf.

B

Der Apparat ist zwar teuer, aber ich nehme ihn _____ .

Das ist jeden Tag wieder dasselbe, _____ kann ich mich nicht daran gewöhnen.

Ich war zwar krank, habe aber _____ weitergearbeitet.

C

_____ wir auch dieses Problem gelöst hatten, gab es keine Schwierigkeiten mehr.

Er tat mir leid, _____ sich niemand um ihn kümmerte.

Rufen Sie bitte sofort an, _____ das noch mal passiert!

Ich werde alles tun, _____ sie glücklich wird.

_____ plötzlich die Bremsen versagten, kriegte ich Angst.

der-
olen
Sie!

45

75

39

71

45

47

79

77

69

67

83

79

1. Ich _____ schon überall nachgesehen, kann die Karten aber nirgends finden.

2. Sehen Sie, wie sie näher kommen? — Ja, ich sehe _____ _____ _____ .

3. Hab keine Angst vor dem Tier, es _____ dir nichts!

4. Wenn er sich nicht so entschieden hätte, _____ alles ganz anders geworden.

5. Nachdem der Störtrupp den Schaden behoben _____ , liefen die Maschinen wieder.

6. Ich halte ihn _____ _____ bemerkenswerten Künstler.

7. Sind Sie schon verheiratet? — Nein, ich bin _____ _____ verheiratet.

8. Singt sie gut? Haben Sie sie schon mal gehört? — Nein, ich habe sie noch nie _____ _____ .

9. An Ihrer Stelle _____ ich dieses Risiko nicht eingehen.

10. Müssen wir in Stuttgart umsteigen? — Nein, Sie brauchen dort nicht _____ .

11. Haben Sie etwas erreicht? — Nein, wir haben _____ erreicht.

12. Haben Sie noch keine Lösung gefunden? — Doch, wir haben _____ _____ gefunden.

Wie
hole:
Sie!

1. Sie haben mir damit eine große Freude ....

S. 3

2. Ich weiß nicht, wo ich meine Brille gelassen ....

S. 4

3. Er gab vor, er .... der Direktor einer großen Firma.

S. 6

4. Hat Sie jemand zu diesem Schritt gezwungen? —

Nein, ... hat mich dazu gezwungen.

S. 8

5. Ich habe lange .... diese Erscheinungen nach-

gedacht.

S. 4

6. Können Sie es uns beweisen? —

Ich wünschte, ich .... es Ihnen beweisen!

S. 2

7. Suchen Sie ihn noch immer? —

Nein, ich suche ihn ....

S. 8

8. Der Apparat .... nicht mehr geprüft zu

werden, er ist schon geprüft worden.

S. 6

9. Ich werde es versuchen, ... es sehr gefähr-

lich ist.

S. 8

10. Auf dem Mond gibt es .... Wasser ....

Sauerstoff.

S. 7

11. Was wäre die Folge gewesen, wenn Sie das getan

.... ?

S.

12. Was für ein Fluß war das gerade eben? —

Das muß die Donau ....

S.

der-
len
Sie!

3

1. Die Kinder spielten mitten ____ ____ Straße.

31

2. Mein Mann ____ morgen operiert.

13

3. Jemand hat seine Brille hier liegenlassen;
wissen Sie, ____ Brille das ist?

61

4. Vergessen wir nicht, daß das Schicksal der Menschheit
auf dem Spiel ____, wenn wir es nicht schaffen,
diese Probleme zu lösen!

7

5. Ich habe diese Beschwerden schon ____ ____
letzten Wochenende.

35

6. Die Straße ist viel ____ gefährlich, um so schnell zu
fahren.

19

7. Er hat mir einen genauen Plan gezeichnet, ____
ich den Weg finden kann.

31

8. Hat denn niemand die Entscheidung kritisiert? —
Doch, sie ist von vielen ____ ____ .

15

9. Können Sie sich noch an das Café erinnern,
____ ____ wir vorbeigegangen sind?

57

10. Sind Sie sicher, daß diese Lösung auf keinen Fall in
Frage ____ ?

9

11. Ist es hoch genug? —
____ als so geht's nicht.

25

12. Haben Sie ihn nicht getroffen? —
Nein, ich bedaure sehr, ihn nicht ____
____ ____ .

89

18

1. Ich frage mich immer wieder, was aus dem Jungen noch mal _____ soll.

Wie holen Sie

S.

2. Es war gar nicht so schlimm, _____ ich zunächst gedacht hatte.

S.

3. Können Sie sich einen schöneren Urlaubsort denken? — Nein, das ist wirklich der _____ , den ich kenne.

S.

4. _____ er das Abitur machte, war er erst 17 Jahre alt.

S.

5. Konnte man alle Fahrgäste retten? — Ja, die Fahrgäste konnten alle _____ _____ .

S.

6. Wer hat Sie eigentlich auf diesen Gedanken _____ ?

S.

7. _____ doch endlich still, ich kann nichts verstehen, wenn du immer redest!

S.

8. Robert Koch, _____ Entdeckungen die Bekämpfung der Tuberkulose ermöglichten, erhielt 1905 den Nobelpreis für Medizin.

S.

9. Haben Sie ihn auf das Risiko hingewiesen? — Nein, ich habe vergessen, ihn darauf _____ .

S.

10. Die jüngere Generation, die _____ _____ 2. Weltkrieg geboren wurde, denkt ganz anders.

S.

11. Ist das Hotel gut? — Es ist das _____ weit und breit.

S.

12. Diese Untersuchung lassen Sie am besten _____ _____ Kölner Universitätsklinik machen.

S.

	Üben Sie!
1. Ich fahre morgen früh zum Einkaufen _____ _____ Stadt.	S. 1
2. Gehen Sie die Straße immer geradeaus, _____ Ende sehen Sie dann das Restaurant.	S. 3
3. Wie lange haben Sie den Wagen schon? — _____ vier Jahren.	S. 7
4. _____ _____ Fabrik wird auch nachts gearbeitet.	S. 1
5. Ich fahre mit dem Zug _____ 11.23 Uhr.	S. 5
6. _____ _____ Urlaub hat man natürlich wenig Lust wieder zu arbeiten.	S. 5
7. _____ Juli ist es hier am schönsten.	S. 5
8. Könnten Sie _____ um elf warten?	S. 7
9. _____ Abend sitzen wir oft auf der Terrasse.	S. 5
10. Die Kinder spielten _____ _____ Straße.	S. 3
11. Ist Herr Schmitt noch im Urlaub? — Nein, er ist _____ zwei Tagen aus dem Urlaub zurückgekommen.	S.7
12. Ich traf ihn, als er _____ _____ Café kam.	S. 1

	Üben Sie!
1. Die Adresse _____ Leute habe ich leider vergessen.	S. 13
2. Ist der Berg dort höher als alle anderen? — Nein, dort links, der ist am _____ .	S. 9
3. Kommen viele Touristen hierher? — Ja, und jedes Jahr werden es immer _____ .	S. 11
4. Wissen Sie, _____ Mantel das ist? — Ich glaube, er gehört dem Herrn, der dort sitzt.	S. 13
5. Wir haben im Urlaub viel gesehen; überall war es schön, aber am Rhein war es _____ .	S. 9
6. In der Nähe _____ Platzes steht das älteste Haus der Stadt.	S. 13
7. Die Väter, _____ Kinder zur Schule gehen, möchten ihren Urlaub natürlich am liebsten in den Schulferien nehmen.	S. 15
8. Ist Ihre neue Wohnung größer oder _____ als die alte?	S. 9
9. Der Wagen ist aber alt! — Ja, ich habe noch nie einen _____ Wagen gesehen als diesen.	S. 9
10. Ich kenne jemand, _____ Frau auch aus Paris kommt.	S. 15
11. Ist es dort wirklich so schön? — Ja, für einen Urlaub ist es der _____ Platz, den ich kenne.	S. 9
12. Ich lasse die Kinder nicht gern allein, _____ _____ würde ich sie mitnehmen.	S. 11

	Üben Sie!
13. Ich habe mit vielen gesprochen, _____ der Film auch nicht gefallen hat.	S. 15
14. Ist der Apparat gut? — Ja, das ist der _____ , den es gibt.	S. 13
15. Aber es hat doch _____ _____ Zeitung gestanden!	S. 1
16. Ich möchte gern _____ _____ Terrasse sitzen.	S. 3
17. Wie lange kennen Sie sich schon? — Wir kennen uns schon _____ zehn Jahren.	S. 7
18. Mein Mann kommt um fünf _____ _____ Fabrik.	S. 1
19. Ich kann meinen Urlaub leider erst _____ Oktober nehmen.	S. 5

	Üben Sie!
1. _____ ich gestern mit dem Zug hier ankam, stand meine ganze Familie auf dem Bahnsteig.	S. 17
2. Warum fahren Sie in die Stadt? — _____ ich noch etwas besorgen will.	S. 19
3. Er ist gerade weggegangen, _____ sich Zigaretten _____ holen.	S. 19
4. Das Wetter ist schöner, _____ man erwarten konnte.	S. 17
5. Er hat den Kindern Geld gegeben, _____ sie ins Kino gehen können.	S. 19
6. Ich vergaß nie, sie zu besuchen, _____ ich in München war.	S. 17
7. Wenn Ihnen der Apparat zu groß ist, nehmen Sie doch den da, der ist _____ !	S. 9
8. Sie kennen den Herrn, _____ Auto dort steht, sicher auch.	S. 15
9. Schicken Sie doch ein Telegramm, das geht am _____ !	S. 9
10. Am _____ würde ich es selbst machen.	S. 9
11. Wissen Sie, wem der Hut gehört? — Nein, ich kann Ihnen leider nicht sagen, _____ Hut das ist.	S. 13
12. Glauben Sie, daß viele Leute so denken? — Ja, ich bin sicher, daß die _____ Leute so denken.	S. 11
13. Es gibt hier viele hohe Häuser, aber unser Haus ist das _____ .	S. 9

1. Haben Sie ihn schon angerufen? — Nein, ich muß ihn noch _____ .	Üben Sie! S. 29
2. Soll ich die Sachen mitnehmen? — Ja, sei bitte so nett und _____ sie _____ !	S. 23
3. Haben Sie ihn wirklich gehört? — Ja, ich glaube, ihn _____ _____ _____ .	S. 25
4. Warum willst du allein fahren? _____ lieber nicht allein!	S. 23
5. Gehen Sie doch ins Kino! — Wir haben keine Lust, _____ _____ _____ _____ .	S. 25
6. _____ doch nicht so traurig! Du wirst sehen, es wird schon alles wieder gut!	S. 23
7. Und kam er dann wirklich wieder zurück? — Ja, ich sah ihn _____ .	S. 29
8. Können Sie Herrn Hansen abholen? — Ich werde versuchen, _____ _____ .	S. 25
9. Sollen wir es sofort machen? — Ja, _____ es lieber sofort!	S. 23
10. Können Sie es mir mitbringen? — Ich hoffe, es Ihnen _____ _____ _____ .	S. 25
11. _____ _____ ersten Jahren nach dem Krieg waren viele Menschen ohne Arbeit.	S. 5
12. Er rief die Polizei, _____ die Nachbarn so spät in der Nacht noch Krach machten.	S. 19

4

Test

3
1

13. _____ wenigen Jahren werden auf der Erde zweimal so viel Menschen leben wie heute.	Üben Sie! S. 7
14. Natürlich hat er jetzt andere Sorgen _____ Kopf.	S. 1
15. _____ ich den Berg hinunterfuhr, versagten plötzlich die Bremsen.	S. 17
16. Komm doch mit uns _____ _____ Rummelplatz!	S. 3
17. Er ging nur nachts aus dem Haus, _____ ihn keiner sah.	S. 19
18. Hol doch endlich die Kleider _____ _____ Koffer!	S. 1
19. _____ wir spazierengingen, wollte er immer mitkommen.	S. 17
20. _____ _____ zweiten Weltkrieg gab es im Stadtzentrum noch viele alte Häuser, im Krieg wurden sie aber alle zerstört.	S. 5
21. Ich fuhr an die Böschung, _____ den Wagen zum Stehen zu bringen.	S. 19
22. _____ _____ Kasse standen viele Leute.	S. 3
23. _____ _____ Unfall bin ich ohne Wagen.	S. 7

	Üben Sie!	
1. Er fuhr sehr langsam und .... von vielen Autos überholt.	S. 31	**5** **Test**
2. Hoffentlich wird das bald geregelt! — Es ist doch schon alles	S. 31	
3. Endlich kam ich in Hinterwald an, das Ziel meiner Reise .... erreicht.	S. 33	
4. Will man das Haus verkaufen? — Ja, das Haus soll	S. 31	
5. Die Karten sind bestellt und nicht abgeholt	S. 31	
6. Haben Sie's endlich fertig? — Ja, es .... fertig.	S. 33	
7. Mit dem Bau einer Autobahn von Hamburg nach Kiel .... im vergangenen Jahr angefangen.	S. 31	
8. Kann man das denn nicht ändern? — Doch, das könnte ganz leicht	S. 31	
9. Das war eine Zeit, ... ich mich gern erinnere.	S. 15	**4** **2**
10. Soll ich noch weitererzählen? — Ja, ... bitte noch .... , Peter!	S. 23	
11. Gibt es noch einen höheren Turm? — Nein, das ist der	S. 9	
12. Soll das Schloß wieder aufgebaut werden? — Ja, man versucht, es nach alten Plänen wieder	S. 25	**99**

	Üben Sie!
13. Viel ist das nicht, aber _____ konnte ich leider nicht finden.	S. 11
14. Hängen wir das Bild tiefer? — Nein, lieber noch etwas _____ .	S. 9
15. Es gibt nur wenige Städte, _____ Verkehr so gut geregelt ist.	S. 15
16. Ist das der größte? — Ja, ich kenne keinen, der _____ wäre.	S. 9
17. Ich denke nicht gern daran, am _____ möchte ich das alles vergessen.	S. 11
18. Wenn du auch sonst immer alles vergißt, _____ bitte nicht, die Sachen mitzubringen!	S. 23
19. Der Staat bekommt immer mehr Macht, er wird immer _____ .	S. 9
20. Im Zentrum _____ Großstädte entstehen immer mehr große Kaufhäuser und Büros.	S. 13
21. Ich bin froh, ihn nach so vielen Jahren wiedergesehen _____ _____ .	S. 25
22. Haben Sie ihn schon abgeholt? — Nein, ich muß ihn noch _____ .	S. 29
23. Der Turm _____ Doms wurde erst viel später fertiggestellt.	S. 13
24. Soll hier eine neue Schule gebaut werden? — Ja, die Stadt läßt hier _____ _____ _____ _____ .	S. 29

1. Ich würde mir lieber einen Photoapparat _____ eine Filmkamera kaufen.	Üben Sie! S. 25
2. Ich gehe gleich so, _____ ich bin.	S. 35
3. Ich bin wohl _____ früh gekommen?	S. 35
4. Ein Mann _____ er glaubt natürlich, daß er etwas davon versteht.	S. 35
5. Deine Kleider sind alle viel _____ lang.	S. 35
6. Ob sie jünger oder älter ist _____ er, ist nicht wichtig.	S. 35
7. Ich habe eine Anzeige in die Zeitung gesetzt, _____ eine neue Stelle _____ finden.	S. 19
8. Man hat sicher sehr lange daran gebaut. — Ja, viele Jahrhunderte lang ist daran _____ _____ .	S. 31
9. _____ ich einkaufen gehe, brauche ich immer sehr viel Geld.	S. 17
10. Ich trage die Sachen nicht mehr, _____ sie altmodisch sind.	S. 19
11. Seit einigen Jahren _____ die Röcke sehr kurz getragen.	S. 31
12. _____ ich das letzte Mal bei C & A war, hatten sie dort schöne moderne Sachen.	S. 17

6

Test

5
3

101

	Üben Sie!
13. Sie ist älter, _____ du denkst.	S. 17
14. Die Fahrkarten _____ gekauft und die Koffer gepackt, jetzt kann die Reise losgehen.	S. 33
15. Kann man dort auch Theaterstücke aufführen? — Ja, Theaterstücke können dort auch _____ _____ .	S. 31
16. Im Krieg hat man die Bilder ausgelagert, _____ sie nicht beschädigt würden.	S. 19

	Üben Sie!
1. Wir wollen mit der Sache nichts zu _____ haben.	S. 39
2. Haben Sie's ihm schon gesagt? — Nein, ich _____ ihm nachher noch.	S. 41
3. Keiner wollte den Anfang _____ .	S. 39
4. War er das? — Nein, er _____ nicht.	S. 41
5. Haben Sie's gewußt? — Nein, ich _____ nicht gewußt.	S. 41
6. _____ Sie das bitte in den Koffer!	S. 39
7. Er hat's nicht getan. Und Sie? Haben _____ getan?	S. 41
8. Was für einen Eindruck hat er auf Sie _____ ?	S. 39
9. Willst _____ allein machen?	S. 41
10. Wir kommen nachher noch _____ Kino vorbei.	S. 3
11. Kommst du mit? Ich gehe ein Bier _____ .	S. 29
12. Darf ich das Buch auch lesen? — Ja, _____ es ruhig, wenn du willst!	S. 23

13. Wissen Sie, wie es Herrn Braun geht? — Nein, ich habe schon _____ einiger Zeit nichts mehr von ihm gehört.	Üben Sie! S. 7
14. Ich möchte lieber Reporter werden _____ technischer Zeichner.	S. 35
15. Ich hab's _____ _____ Zeitung.	S. 1
16. Haben Sie ihn noch angerufen? — Nein, ich hab's leider nicht geschafft, ihn noch _____ .	S. 25
17. _____ schönen Tagen saßen wir oft im Garten.	S. 5
18. Setzen Sie doch eine Anzeige _____ _____ „Abendzeitung"!	S. 1
19. Die Angebote erwarte ich _____ einigen Tagen.	S. 7
20. So einfach, _____ man es mir gesagt hat, ist das gar nicht.	S. 35
21. Ich habe ihm geraten, sich darüber jetzt noch keine Gedanken _____ _____ .	S. 25
22. _____ vernünftig und lern einen guten Beruf!	S. 23
23. Es stand ganz groß _____ _____ ersten Seite.	S. 3

104

1. Wenn Sie die Kinokarten schon gekauft _____, können wir uns ja noch Zeit lassen.	Üben Sie! S. 45
2. (reißen) Der Junge _____ sich los und lief über die Straße.	S. 43
3. Nachdem er am Fuß operiert worden _____, konnte er lange Zeit noch nicht wieder gehen.	S. 45
4. (ziehen) Als er älter wurde, _____ es ihn immer stärker nach Haus.	S. 43
5. (nehmen) Er sah den Zettel und _____ ihn an sich.	S. 43
6. Diesmal bestellte er sich einen Platz. Früher _____ er sich nie einen Platz _____ .	S. 45
7. (sterben) Er _____, als er noch keine 35 Jahre alt war.	S. 43
8. Sie müssen noch ein paar Minuten warten, denn Herr Hartmann _____ noch nicht zurückgekommen.	S. 45
9. (scheinen) Als dann die Sonne endlich _____, wurde es auch wieder wärmer.	S. 43
10. Überall hat es sehr lange gedauert, aber in diesem Büro hat es am _____ gedauert.	S. 9
11. Die Blätter _____ Bäume waren schon ganz braun.	S. 13
12. Ich habe im Urlaub die Bekanntschaft eines sehr netten Herrn _____ .	S. 39

	Üben Sie!
13. Haben Sie's ihm schon gesagt? — Nein, aber ich _____ ihm gleich noch.	S. 41
14. Ich glaube, wir _____ beobachtet.	S. 31
15. Sie müssen am anderen Ende _____ Bahnhofs in den Zug steigen.	S. 13
16. Ich möchte _____ Arzt als Lehrer werden.	S. 11
17. In Europa leben 90 Millionen Menschen, _____ Muttersprache Deutsch ist.	S. 15
18. Fährt der „Alpenexpreß" sehr schnell? — Ja, er ist der _____ Zug zwischen Hamburg und München.	S. 9
19. Hat man die Sachen gebracht? — Ja, sie sind gerade _____ _____ .	S. 31
20. Es gibt viele Länder, _____ _____ die deutsche Sprache gesprochen wird.	S. 15
21. Spielt er gut? — Ja, er ist der _____ Spieler von allen.	S. 11
22. Dieses Flugzeug ist zwar schon sehr groß, aber jetzt baut man schon viel _____ Flugzeuge.	S. 9
23. Muß man die Zimmer reservieren? — Ja, in den Reisemonaten müssen die Zimmer rechtzeitig _____ _____ .	S. 31
24. Hast du in deinem neuen Beruf viel Arbeit? — Auf jeden Fall _____ Arbeit als in meinem früheren.	S. 11

	Üben Sie!
1. Wieviel würden Sie denn _____ _____ Auto zahlen?	S. 47
2. Meine Garderobe besteht nur noch _____ alten Sachen!	S. 49
3. Endlich kam der Brief, _____ _____ ich so lange gewartet hatte.	S. 47
4. Es gab da mehrere Probleme, und wir wußten zuerst nicht, _____ wir anfangen sollten.	S. 47
5. Ich habe sehr lange _____ nachgedacht.	S. 49
6. _____ blauen Rock paßt eigentlich am besten eine weiße Bluse.	S. 47
7. Es hängt ganz _____ Preis ab, ob ich den Apparat kaufe.	S. 49
8. Keiner wußte, _____ es sich handelte.	S. 49
9. Im letzten Jahr _____ wir nach Rom gefahren, und im kommenden Urlaub fahren wir nach Paris.	S. 45
10. _____ er mir möglichst schnell Bescheid geben könnte, gab ich ihm meine Telefonnummer.	S. 19
11. Jetzt ist es schon _____ spät, um bei ihm anzurufen.	S. 35
12. _____ wir in Bremen ankamen, schien die Sonne.	S. 17

	Üben Sie!
13. Das schmilzt .... Eis in der Sonne.	S. 35
14. Wir kamen immer nachts an, ... es schon dunkel war.	S. 17
15. (reißen) Der Kleine nahm das Papier und .... es in Stücke.	S. 43
16. Mein Junge will Reporter werden, ... er selbständig tätig sein möchte.	S. 19
17. Er behielt die Brieftasche, die er in der Straßenbahn gefunden	S. 45
18. .... sicher .... sein, daß ich noch ein Bett finden würde, ließ ich rechtzeitig ein Hotelzimmer reservieren.	S. 19
19. (treten) Als ich in sein Büro .... , sah ich ihn am Fenster stehen.	S. 43
20. Nun mußte ich mich doch schneller entscheiden, ... es eigentlich meine Absicht war.	S. 17

1. Und woher bekommen wir das Geld, das uns noch fehlt? — Mach dir keine Sorgen, das _____ Geld werden wir schon noch bekommen.	Üben Sie! S. 53
2. Hat Sie das so überrascht? — Ja, das kam sehr _____ .	S. 53
3. War das der Besuch, den Sie erwartet hatten? — Nein, das war nicht der _____ Besuch.	S. 53
4. Hat er nicht ein paar Worte gesprochen, um alles zu erklären? — Doch, er hat ein paar _____ Worte gesprochen.	S. 53
5. Wo kann ich die Sachen abholen, wenn sie bezahlt sind? — Die _____ Sachen können Sie dort in der Ecke abholen.	S. 53
6. Trinken Sie doch eine Tasse Kaffee, das belebt. — Ja, das stimmt, Kaffee wirkt sehr _____ .	S. 53
7. Das hängt natürlich ganz _____ Alter des Wagens ab.	S. 49
8. Wir werden versuchen, unser Bestes zu _____ .	S. 39
9. Nach dem Abitur habe ich begonnen, Medizin _____ _____ .	S. 25
10. Ich denke noch oft _____ alles, was er gesagt hat.	S. 49
11. Warum willst du stehen bleiben? _____ doch Platz!	S. 23
12. Achten Sie bitte _____ , daß alles richtig gemacht wird!	S. 47

10

Test

9
7
4

109

13. Haben Sie an der richtigen Stelle gefragt? — Ich bin sicher, an der richtigen Stelle _____ _____ _____.	Üben Sie! S. 25
14. Bei dem Spiel handelt es sich _____, möglichst schnell ans Ziel zu kommen.	S. 49
15. Man kann ihm wirklich nicht böse sein; und dabei habe ich allen Grund, ihm _____ _____ _____.	S. 25
16. _____ _____ guten Essen gehört ein guter Wein.	S. 47
17. Hatte er nicht den Wunsch, selbst zu kommen? — Doch, er wollte eigentlich _____ _____.	S. 29
18. Wann kann ich wieder vorbeikommen? — Versuchen Sie doch, morgen noch mal _____!	S. 25
19. Keiner wollte den Anfang _____.	S. 39
20. Konnten Sie nicht kommen? — Bis zuletzt hatte ich noch gehofft, _____ _____ _____, aber dann ging es nicht.	S. 25
21. Ich habe so viele Einladungen, daß ich wirklich nicht weiß, _____ ich mich entscheiden soll.	S. 47
22. Ich bin ihm darum eigentlich noch böse. — Vergessen Sie's lieber und _____ _____ ihm darum nicht mehr böse!	S. 23
23. Haben Sie's bemerkt? — Ja, ich _____ bemerkt.	S. 41
24. Da flüstern sie wieder. Sehen Sie's? — Ja, ich sehe sie _____.	S. 29

110

1. Wo ist Peter? — Der _____ wohl noch im Büro zu tun haben.	Üben Sie! S. 55	**11** **Test**
2. Technischer Zeichner, das wäre doch was für dich! — Nein, technischer Zeichner möchte ich nicht _____ .	S. 55	
3. Am liebsten wäre ich jetzt allein und _____ in Ruhe arbeiten.	S. 55	
4. Ich bin ganz sicher, daß es regnen _____ .	S. 55	
5. Wären Sie damit zufrieden? — Nein, ich _____ lieber etwas anderes versuchen.	S. 55	
6. Wenn Sie Ihre Besorgungen schon gemacht _____ , können wir ja gehen.	S. 45	**10** **8** **5**
7. Ist das schon erledigt? — Nein, das muß noch _____ _____ .	S. 31	
8. (behalten) Selbst wenn es schwierig wurde, _____ er die Übersicht.	S. 43	
9. Wir _____ kaum aus dem Urlaub zurückgekommen, da wurde ich krank.	S. 45	
10. Hat der Direktor Sie empfangen? — Nein, wir sind von seiner Sekretärin _____ _____ .	S. 31	
11. (ergreifen) Der Fremde _____ einen Gong und begann, mit den Fingern darauf zu trommeln.	S. 43	
12. Als wir fortgingen, _____ er noch geblieben.	S. 45	

	Üben Sie!
13. (schimpfen) Laut _____ kam er aus dem Büro.	S. 53
14. Sie sollten sich Plätze reservieren lassen. Am Wochenende ist es besser, wenn man _____ Plätze hat.	S. 53
15. Als es anfing zu regnen, _____ das Spiel abgebrochen.	S. 31
16. Trinken Sie das! Das erfrischt. — O ja, das ist sehr _____ .	S. 53
17. Nachdem wir alles erledigt _____ , konnten wir endlich losfahren.	S. 45
18. Die Preise steigen immer mehr; wie soll das nur weitergehen? — Ja, die _____ Preise machen uns auch große Sorgen.	S. 53
19. (warten) Geduldig _____ standen die Kinder vor der Tür.	S. 53

1. Ich wollte auch etwas sagen, konnte aber nicht zu Wort	Üben Sie! S. 57
2. Er hat sich schon mit 60 Jahren zur Ruhe	S. 59
3. Bis jetzt hat er immer Wort	S. 61
4. Kaum hatten wir Platz .... , fing das Stück an.	S. 59
5. Wann soll das neue Gesetz in Kraft .... ?	S. 57
6. Er hat gesagt, wir sollen ihn in Ruhe	S. 61
7. Seine Kollegen halten ihn .... einen Idioten.	S. 47
8. .... Fenster haben Sie einen schönen Blick über den ganzen Hafen.	S. 1
9. An Ihrer Stelle .... ich das Risiko nicht eingehen.	S. 55
10. Es ist viel .... kalt, um spazierenzugehen.	S. 35
11. Ich habe lange .... Problem nachgedacht.	S. 49
12. .... Bodensee war das Wetter fast die ganze Zeit schön.	S. 3

		Üben Sie!
13. Als er Minister _____ , war er erst 32 Jahre alt.		S. 55
14. _____ Ecke des Wohnzimmers stand ein Klavier.		S. 1
15. Ich freue mich schon _____ nächste Fest.		S. 47
16. _____ Wochenende fahren wir zu meinen Großeltern.		S. 5
17. Das Kleid muß noch _____ heute abend fertig werden.		S. 7
18. Er _____ wohl dieselben Überlegungen anstellen.		S. 55
19. _____ letzten Tagen ist hier schon Schnee gefallen.		S. 5
20. Die Papiere lagen _____ Fußboden.		S. 3
21. In diesem Jahr kam der Winter schneller _____ letztes Jahr.		S. 35
22. Hat er Ihnen _____ Entschluß erzählt, seine alte Firma zu verlassen?		S. 49
23. Können Sie einen Moment warten? Ich bin _____ zwei Minuten wieder da.		S. 7
24. Wenn er das hört, _____ er sich freuen.		S. 55

114

	Üben Sie!
1. Ist es zu spät, um Plätze zu reservieren? — Ja, man hat mir gesagt, es _____ jetzt zu spät dafür.	S. 65
2. Wollte sie nicht heute schon wiederkommen? — Nein, sie hat mir geschrieben, sie _____ erst morgen wieder.	S. 65
3. Hat Herr Berg keine Zeit? — Mir hat er gesagt, er _____ heute keine Zeit.	S. 65
4. Herr Hansen soll sehr krank sein. — Man hat mir auch erzählt, er _____ sehr krank.	S. 65
5. Hat er es besser gemacht? — Er selbst glaubt, er _____ es besser gemacht.	S. 65
6. Spricht sie denn gut Englisch? — Mir hat man gesagt, sie _____ sehr gut Englisch.	S. 65
7. Kann sie noch länger dort bleiben? — Sie schreibt, sie _____ noch eine Woche dort bleiben.	S. 65
8. Will er das wirklich in Kauf nehmen? — Ja, er sagt, er _____ das gern in Kauf nehmen.	S. 65
9. Hier ist das Buch, _____ _____ Sie mich gebeten hatten.	S. 15
10. Bei der Arbeit trinke ich _____ Coca als Bier.	S. 11
11. Die Untersuchung des Falles hat sich sehr in die Länge _____ .	S. 59
12. Ist das Leben in Frankreich billiger oder _____ als in Deutschland?	S. 9

13

Test

12
7
2

115

	Üben Sie!
13. Das Ergebnis .... Untersuchung bekomme ich erst nächste Woche.	S. 13
14. Er hat sicher auch viel Angst. — Ja, noch .... als ich.	S. 11
15. Ich habe diese Woche viel zu	S. 39
16. Für diesen Beruf .... er auf keinen Fall in Frage.	S. 57
17. Ich frage mich, ... Erklärung ich glauben soll, der von Peter oder der von Inge.	S. 13
18. Warum wollen Sie nur zwei Tage bleiben? Können Sie nicht noch .... bleiben?	S. 9
19. Können Sie uns den Apparat einmal zeigen, ... Sie uns erzählt haben?	S. 15
20. Für diese Stelle ist er der .... Mann, den Sie finden können.	S. 11
21. Man sagt mir immer wieder, ich solle das Rauchen	S. 61
22. Kommen Sie, ich möchte Sie mit Herrn Hartmann bekannt	S. 39
23. Jetzt ist das Ergebnis unserer Überlegungen wieder in Frage	S. 59
24. Otto Hahn, ... Entdeckung der Kernspaltung des Urans den Bau von Atombomben möglich machte, war ein überzeugter Pazifist.	S. 15

	Üben Sie!
1. Soll ich ihn noch anrufen? — Nein, Sie _____ ihn nicht mehr anzurufen.	S. 67
2. Wollen Sie nicht mitkommen? — Nein, ich möchte wirklich nicht _____ .	S. 67
3. Ich glaube, wir brauchen die Karten nicht vorzuzeigen. — Natürlich muß man die Karten _____ !	S. 67
4. Muß das schon diesen Montag fertig sein? — Nein, das braucht erst nächsten Montag _____ _____ _____ .	S. 67
5. Wollen Sie sich nicht setzen? Sie brauchen doch nicht die ganze Zeit _____ _____ !	S. 67
6. Warum sind Sie nicht bis zum Ende der Straße weitergegangen? Sie brauchten wirklich nur bis zum Ende _____ , dann hätten Sie das Haus gesehen.	S. 67
7. _____ ich noch 40 Zigaretten am Tag rauchte, hatte ich immer Herzbeschwerden.	S. 17
8. Nachdem wir getankt _____ , fuhren wir los.	S. 45
9. _____ nicht zu spät zu kommen, nahm ich mir ein Taxi.	S. 19
10. Bei dem Regen _____ er wohl nicht kommen.	S. 55
11. Kennt sie ihn auch? — Ja, sie hat mir gesagt, sie _____ ihn auch.	S. 65
12. (geraten) Als er nicht mehr arbeiten konnte, _____ seine Familie in große Not.	S. 43

	Üben Sie!
13. Ist Herr Krause bald wieder zurück? — Ja, er hat gesagt, er _____ bald wieder zurück.	S. 65
14. Da wir früher in München gewohnt _____, kenne ich mich dort ganz gut aus.	S. 45
15. Das Wetter war wesentlich besser, _____ es nach der Wetter- vorhersage zu erwarten war.	S. 17
16. Wissen Sie schon, daß Hans Schmitt Innenminister _____ soll?	S. 55
17. Kann sie die Karten besorgen? — Sie meint, sie _____ sie besorgen.	S. 65
18. _____ die Richter frei und unabhängig arbeiten können, dürfen sie nicht gegen ihren Willen versetzt werden.	S. 19
19. (scheinen) Als er zurückkam, _____ alles in Ordnung zu sein.	S. 43
20. _____ Sie dann zu einer Kreuzung kommen, müssen Sie links abbiegen.	S. 17

	Üben Sie!
1. Ich weiß nicht, was ich in dieser Situation getan _____ .	S. 69
2. Zum Glück bekommen wir das Visum noch rechtzeitig! — Was wäre, wenn wir es nicht rechtzeitig _____ ?	S. 71
3. Wenn Sie das Geld hätten, _____ Sie sich dann auch so ein Haus bauen?	S. 69
4. Können Sie denn nicht schwimmen? — Ich wollte, ich _____ schwimmen.	S. 71
5. Ich wünschte, ich _____ auch so einen Apparat!	S. 69
6. _____ wir doch nur zu Haus geblieben!	S. 71
7. Ich wollte, er _____ uns endlich damit in Ruhe!	S. 69
8. Wenn ich mehr Zeit gehabt _____ , _____ ich gern noch länger geblieben.	S. 69 S. 71
9. An Ihrer Stelle _____ ich mich darüber freuen, daß es geklappt hat!	S. 69
10. Zum Glück kann er uns die Sachen besorgen! — Es wäre schlimm, wenn er sie uns nicht besorgen _____ .	S. 71
11. Muß ich mich denn sofort entscheiden? — Nein, vor Montag _____ Sie sich nicht zu entscheiden.	S. 67
12. Was sagen Sie _____ diesem Ergebnis?	S. 47

	Üben Sie!
13. Mit ihm muß man sehr viel Geduld _____ .	S. 61
14. Mußten Sie auch anhalten? — Nein, wir brauchten _____ _____ .	S. 67
15. Wissen Sie, wann das neue Gesetz in Kraft _____ ?	S. 57
16. Soll ich noch mal anrufen? — Nein, lassen Sie lieber mich _____ .	S. 29
17. Du solltest dich wirklich _____ das halten, was dir der Arzt gesagt hat.	S. 49
18. Ich bedaure sehr, das Theaterstück nicht gesehen _____ _____ .	S. 25
19. Sprich, _____ doch nicht immer so stumm!	S. 23
20. Arbeiten Sie gut mit ihm zusammen? — Ja, und ich hoffe, auch in Zukunft gut mit ihm _____ _____ .	S. 25
21. Ich warte immer noch _____ _____ Erklärung von ihm.	S. 47
22. Er ist doch schon 68, will er sich denn überhaupt nicht zur Ruhe _____ ?	S. 59
23. Es tut mir leid, ich habe wirklich nicht mehr _____ gedacht.	S. 49
24. Ich möchte mal allein Urlaub machen. — Ja, es wäre schön, einmal allein _____ _____ .	S. 25

120

	Üben Sie!
1. Hören Sie es? Er telefoniert noch. — Ja, ich höre ihn	S. 75
2. Lassen Sie das nicht wieder in Ordnung bringen? — Ich habe es schon in Ordnung	S. 77
3. Wollen Sie dieses Jahr nicht ans Meer fahren? — Nein, mein Arzt hat mir geraten, lieber nicht	S. 75
4. Sehen Sie, er lacht! — Ja, ich sehe ihn	S. 75
5. Soll ich den Chef fragen? — Ich glaube, es ist besser, Sie lassen mich selbst	S. 75
6. Lassen Sie sich einen Mantel machen? — Ja, ich will mir einen Mantel	S. 77
7. Ist der Apparat beschädigt? — Ja, er scheint	S. 75
8. Wie, Sie können jetzt Auto fahren? — Ja, ich habe im Urlaub Auto	S. 77
9. Wollen Sie sich einen neuen Wagen kaufen? — Ja, ich habe vor, mir	S. 75
10. Hat Fräulein Klein ihn gekannt? — Ja, sie will ihn	S. 77
11. Konnte man den Schaden sofort beheben? — Ja, der Schaden konnte sofort	S. 31
12. An Ihrer Stelle .... ich lieber sofort einen Arzt rufen lassen.	S. 69

13. Vielleicht können wir das selbst reparieren. — Es wäre natürlich sehr gut, wenn wir es selbst reparieren	Üben Sie! S. 71
14. Als der Strom ausfiel, ... sofort alle Sicherungen überprüft.	S. 31
15. Ich wollte, es .... alles nach Wunsch!	S. 69
16. Ist er Meister geworden? — Ich habe gehört, er .... Meister geworden.	S. 65
17. Hat man das E-Werk schon angerufen? — Ja, dort ist schon	S. 31
18. Gehört der Wagen wirklich ihm? — Mir hat er erzählt, er .... ihm.	S. 65
19. Zum Glück hat der Junge nichts beschädigt. — Es wäre schlimm, wenn er etwas beschädigt .... !	S. 69
20. Er sagt, er .... mit der ganzen Sache nichts zu tun.	S. 65
21. Wenn wir rechtzeitig angefangen .... , ... jetzt alles in Ordnung.	S. 69 S. 71
22. Ließ sich das nicht mehr ändern? — Nein, das konnte nicht mehr	S. 31
23. Wenn ich nicht schimpfen würde, ... ich überhaupt nicht zu Wort.	S. 71
24. Kann er das denn allein schaffen? — Er meint, er .... es allein schaffen.	S. 65

122

	Üben Sie!
1. Ich habe weder Zeit _____ Geld für eine große Reise.	S. 79
2. Ist Herr Schmitt schon zurück? — Nein, _____ _____ .	S. 79
3. Haben Sie kein Fahrrad mehr? — Doch, ich habe _____ _____ .	S. 81
4. Erinnern Sie ihn bitte noch mal an die Papiere, _____ er sie nicht vergißt!	S. 85
5. Haben Sie immer noch keinen Brief von ihm bekommen? — Doch, ich habe _____ _____ Brief von ihm bekommen.	S. 79
6. _____ er keine Andeutungen gemacht hat, glaube ich doch, daß er kommen wird.	S. 85
7. Muß ich noch warten? — Nein, Sie brauchen _____ _____ zu warten.	S. 81
8. Der Ort muß _____ wo in Norddeutschland liegen.	S. 83
9. Haben Sie ihn vor dem Urlaub nicht mehr gesehen? — Doch, ich habe ihn vorher _____ gesehen.	S. 81
10. Hat jemand angerufen, als ich fort war? — Nein, _____ .	S. 83
11. Draußen war es schon dunkel, _____ waren die Berge noch deutlich zu sehen.	S. 85
12. Haben Sie etwas gesehen? — Nein, ich habe _____ gesehen.	S. 83

	Üben Sie!
13. Seit gestern sind die Beschwerden wieder stärker _____ .	S. 55
14. Sehen Sie, wie sich die Blätter im Wind bewegen? — Ja, ich sehe sie _____ _____ .	S. 75
15. Er kennt sich hier aus _____ kein zweiter.	S. 35
16. Müssen wir die Arbeit heute beenden? — Nein, wir _____ sie heute nicht zu beenden.	S. 67
17. Haben Sie gesehen, ob jemand gekommen ist? — Nein, ich habe niemand _____ _____ .	S. 77
18. Das war immerhin besser _____ gar nichts.	S. 35
19. Müssen wir noch mal wiederkommen? — Nein, Sie brauchen nicht noch mal _____ .	S. 67
20. Er _____ wohl nicht zu Haus gewesen sein, als ich dort anrief.	S. 55
21. Lassen Sie sich eine neue Brille machen? — Ja, ich muß mir eine neue Brille _____ _____ .	S. 77
22. Schneller _____ wir kann man wirklich nicht fahren.	S. 35
23. Er _____ sicher noch mal ein ganz großer Künstler.	S. 55
24. Wo haben Sie die Kamera vergessen? — Ich muß sie im Restaurant _____ _____ .	S. 77

	Üben Sie!
1. Nahrung _____ _____ Meer ist die Nahrung der Zukunft.	S. 1
2. Könnten Sie das sofort erledigen lassen? — Ja, das wird sofort _____ .	S. 31
3. Das ist dasselbe Modell, _____ _____ ich mich auch entschieden habe.	S. 47
4. Seit dem letzten Streit spreche ich nicht mehr _____ nötig mit ihm.	S. 35
5. Rufen Sie ihn selbst an? — Nein, ich lasse ihn von der Sekretärin _____ .	S. 75
6. Wenn ich in die Industrie gegangen _____ , _____ ich jetzt wesentlich mehr Geld verdienen.	S. 69 S. 71
7. Wird der Apparat noch gebraucht? — Nein, er wird _____ _____ gebraucht.	S. 81
8. Die Fabrik ist erst _____ wenigen Wochen in Betrieb.	S. 7
9. _____ ihr der Arzt gesagt hatte, sie müsse mindestens eine Woche liegen, stand sie schon nach zwei Tagen wieder auf.	S. 85
10. _____ _____ Grenze mußten wir eine Stunde warten.	S. 3
11. Hier ist's nicht sehr gemütlich; gehen wir doch lieber zu uns nach Haus, da ist es viel _____ .	S. 9
12. _____ wir in München waren, versäumten wir es nie, uns die neuesten Stücke im Theater anzusehen.	S. 17

	Üben Sie!
13. Hat jemand etwas bemerkt? — Nein, _____ hat etwas bemerkt.	S. 83
14. Ist er inzwischen schon angekommen? — Ja, er muß schon _____ _____ .	S. 77
15. _____ _____ Studium der Elektrotechnik fand er sofort eine Stelle als Ingenieur bei Siemens.	S. 5
16. Sie haben mich aber erschreckt! — Es tut mir leid, Sie so _____ _____ _____ .	S. 25
17. Ist sie nicht die jüngste? — Nein, im Gegenteil, sie ist die _____ von uns vieren.	S. 9
18. Ich weiß nicht, was ich tun soll. — Wenn ich an Ihrer Stelle wäre, _____ ich, was ich täte.	S. 71
19. Das sind Tiere, _____ Nahrung einzig und allein aus Pflanzen besteht.	S. 15
20. Nachdem sie noch näher herangekommen _____ , konnte ich alles verstehen, was sie redeten.	S. 45
21. Hat denn niemand diese Entscheidung kritisiert? — Doch, die Entscheidung ist oft _____ _____ .	S. 31
22. Du bist immer so laut, _____ doch endlich still!	S. 23
23. _____ so eine Panne nicht noch mal passiert, müssen wir uns das nächste Mal einen genauen Plan machen.	S. 19
24. Finden Sie die Lösung gut? — Ja, das ist die _____ Lösung, die man sich denken kann.	S. 11

	Üben Sie!
25. Ich würde die Fahrt .... Frühling machen, dann ist die Landschaft dort am schönsten.	S. 5
26. Konnten Sie so einfach mit dem Rauchen aufhören? — Am Anfang fiel es mir sehr schwer, damit	S. 25
27. Warum sind Sie in der Stadt geblieben? Wollten Sie noch etwas besorgen? — Ja, ich bin dort geblieben, um	S. 19
28. Wenn das nicht die Brille von Frau Bauer ist, ... Brille ist es dann?	S. 13
29. Ließ sich der Apparat nicht reparieren? — Nein, in so kurzer Zeit konnte er nicht	S. 31
30. War Marx wirklich so bedeutend? — Ja, ich halte ihn für den .... Philosophen des 19. Jahrhunderts.	S. 9
31. Alle sagen mir, der Film sei nicht gut, ich möchte ihn aber .... sehen.	S. 85
32. .... heute mittag müssen wir einen Entschluß gefaßt haben.	S. 7
33. Sind Sie schon soweit? — Nein, ich bin .... soweit.	S. 79
34. Er meint immer, er müsse uns dauernd etwas vormachen, dabei braucht er uns wirklich nichts	S. 67
35. Was meinen Sie? Soll ich hingehen? — Natürlich! An Ihrer Stelle .... ich sofort	S. 69
36. Jedes Jahr fahren mehr Leute im Urlaub .... Ausland.	S. 1

	Üben Sie!
37. Wissen Sie, _____ es sich handelt?	S. 49
38. Der Plan, den er mir gezeichnet _____, stimmte nicht.	S. 45
39. Die Landschaft sieht hier fast genauso aus _____ in Südfrankreich.	S. 35
40. Er gab vor, er _____ keine Zeit für ein Gespräch, denn er _____ heute erst spät am Abend wieder da.	S. 65
41. Ich fahre allein, denn die Kollegen, _____ _____ ich die Reise machen wollte, bekommen zu der Zeit keinen Urlaub.	S. 15
42. Soll ich hier aussteigen und auf dich warten? — Ja, _____ _____ und warte hier auf mich!	S. 23
43. Wollen wir Wein dazu trinken? — Ich würde sagen, _____ Bier als Wein.	S. 11
44. _____ ich ihn das letzte Mal traf, war er gerade aus der Klinik entlassen worden.	S. 17
45. Ich möchte gern mal _____ _____ einsamen Insel Urlaub machen.	S. 3
46. Ist der Berg niedriger oder _____ _____ die Zugspitze?	S. 9
47. Vielleicht werden Sie noch Gelegenheit haben, mit ihm darüber zu sprechen. — Nein, ich werde _____ _____ dazu haben.	S. 81
48. Lassen Sie doch überall nachfragen! — Ich habe schon überall _____ _____ .	S. 77

128